FOLIO CADET

S.O.S. ANIMAUX

1. Qui veut adopter un chaton ?
2. Un poney en danger
3. Le labrador fait du cinéma
4. Les mésaventures du petit mouton
5. Deux lapins pas comme les autres
6. Le hamster de l'école
7. Opération koala !
8. Sauvons Ruby, le petit cochon
9. Le renard pris au piège
10. Le lionceau abandonné
11. Sur les traces du bébé éléphant
12. Le Noël du chien de berger
13. L'âne trouvera-t-il un refuge ?
14. Au secours des deux poulains
15. Malin comme un singe
16. Pauvre petit faon
17. La famille écureuil
18. Voyage avec les ours
19. « Attention : hérissons ! »

« Attention : hérissons ! »

LUCY DANIELS
ILLUSTRÉ PAR
WILLIAM GELDART

GALLIMARD JEUNESSE

A Fiona Waters
qui fut la première à me montrer un hérisson

Traduit de l'anglais par Michelle Esclapez
Conception de mise en page : Françoise Pham

L'auteur remercie Jenny Oldfield et C. J. Hall, médecins vétérinaires,
qui ont revu les informations contenues dans ce livre.
Conception de la collection : Ben M. Baglio

ISBN : 2-07-052789-1
Titre original : *Hedgehogs in the Hall*
Publié pour la première fois en 1994 par Hodder Children's Books, Londres

Conception de la collection : Ben M. Baglio

Numéro d'édition : 91506 – N°d'impression : 47903
Loi n° 49-956 du 16 juillet 1949 sur les publications destinées à la jeunesse
Dépôt légal : septembre 1999
Imprimé en France sur les presses de l'imprimerie Hérissey

1

– Attention, vous deux ! leur cria M. Hunter.

Cathy et James sautèrent juste à temps pour éviter la tondeuse. Le père de James terminait de tondre la pelouse, un travail qu'il n'aimait pas beaucoup. James l'aidait à ratisser les feuilles mortes quand Cathy était arrivée et tous deux avaient décidé d'aider M. Hunter aux travaux du jardin. C'était l'automne et l'air charriait des odeurs de terre mouillée. Ce serait bientôt l'époque des feux de joie.

– Attention ! leur cria à nouveau M. Hunter.

Il passa près d'eux d'un pas lourd et pesant, chargé d'un gros tas d'herbe coupée qu'il allait déposer sur le compost.

Cathy et James le suivirent jusqu'en haut du jardin, les bras chargés de feuilles mortes.

Il étala l'herbe sur le compost puis se tourna vers eux.

– Déposez vos tas ici.

Il leur indiquait un autre coin du jardin situé sous un hêtre. Puis il replongea sa fourche dans le compost.

Cathy laissa tomber ses feuilles à l'ombre humide du hêtre. Elle leva la tête et aperçut la nouvelle voisine de James, une fillette d'environ huit ans qui les regardait silencieusement de l'autre côté de la haie.

– Bonjour ! lui dit-elle d'un ton enjoué, tout en frottant son pull-over pour en ôter les feuilles. Je suis Cathy Hope de l'Arche des Animaux.

Elle se rappelait avoir déjà vu la petite fille au cabinet vétérinaire quand elle avait amené son lapin qui ne mangeait pas bien. L'arrivée dans un nouveau lieu avait dû le perturber.

– Comment va ton lapin ? demanda Cathy.

Mais elle ne répondit pas. Au lieu de cela, la fillette au visage pâle baissa ses grands yeux sombres et disparut derrière la haie sans même lui faire la grâce d'un sourire.

– Qu'est-ce que j'ai dit ? demanda Cathy, étonnée.

James secoua la tête d'un air entendu.

– Ne m'en parle pas ! Hier, elle a fait la même chose quand je lui ai demandé de passer nous voir : elle m'a regardé de son air étrange, puis elle a disparu !

Cathy plissa le front. La fillette ne pouvait être méchante à ce point. Pour commencer, elles avaient toutes deux quelque chose en commun : elles aimaient les lapins !

– Comment s'appelle-t-elle ?

James termina d'empiler son gros tas de feuilles puis se frotta les mains l'une contre l'autre.

– Claire quelque chose. C'est la fille du nouveau docteur. J'ai oublié son nom.

Il se détourna avec indifférence pour se remettre à ratisser.

Un cri s'éleva soudain du côté du compost :

– Bonté divine !

Cathy se mit à courir. Le père de James était là, la fourche en l'air. James arriva à son tour.

– Regardez ! s'écria M. Hunter en pointant sa fourche vers le bas.

Un gros paquet de feuilles, de paille et de bouts de papier assemblés se déplaçait lentement au bord de la pelouse.

– Ça bouge ! s'écria-t-il. Ça bouge tout seul !

Cathy retint son souffle. Le paquet – de la

taille d'un ballon de football – se traînait en se balançant sur lui-même.

– N'y touche pas ! dit-elle, en retenant James par la manche.

– Qu'est-ce que c'est ? fit celui-ci, intrigué.

– Chut ! ordonna Cathy.

M. Hunter lui-même baissa la voix.

– Je venais d'enfoncer ma fourche dans ce tas de compost que vous voyez là, quand, ô miracle ! cette chose est sortie tout au bout et s'est mise à cavaler toute seule, murmura-t-il. Qu'est-ce que cela peut bien être ?

– Je me demande, dit Cathy. Attendez un peu…

Elle s'agenouilla à côté de la boule en marche. Elle était sûre que son père lui en avait déjà montré une semblable, bien qu'elle ne fût pas aussi grosse. C'était dans la haie de leur propre jardin, à l'Arche des Animaux.

– Je crois que c'est un nid de hérissons ! s'écria-t-elle. Regardez !

Et en effet, un long museau émergea peu à peu de la boule pour flairer l'air environnant, puis apparurent deux petits yeux noirs et brillants, une paire d'oreilles poilues et deux pattes antérieures ornées de cinq griffes acérées. Encore moitié dans le nid et moitié au-dehors, le hérisson clignait des yeux à la clarté du jour.

M. Hunter, qui aimait jardiner car cette occupation le reposait de ses heures de bureau à la compagnie d'assurances, prit appui sur sa fourche et s'inclina en avant.

– Et dire que j'allais embrocher vivant ce pauvre petit vieux ! dit-il avec un soupir de soulagement.

– Attendez ! s'écria Cathy.

Elle s'était mise à quatre pattes et James s'accroupit à côté d'elle. Le hérisson se libérait tant bien que mal du nid qui était à présent sens dessus dessous. Son petit corps replet avait réussi à se glisser dans un interstice ménagé entre ses parois et il atterrit sur le sol en une boule hérissée.

– Ce n'est pas un mâle ! murmura Cathy. Regardez !

Quatre petits museaux noirs émergèrent à leur tour, suivis par quatre paires de pattes antérieures, et quatre boules miniatures recouvertes de piquants roulèrent du nid pour se répandre sur l'herbe.

– C'est une femelle hérisson avec ses petits ! s'écria-t-elle.

M. Hunter s'essuya le front du revers de son pull-over.

– Ils l'ont échappé belle ! dit-il dans un souffle. Est-ce qu'ils vont bien ?

– Je crois que oui, dit Cathy. Je pense qu'ils doivent aimer établir leur pouponnière dans le compost. Ils y trouvent sûrement des tas d'asticots, de vers et toutes sortes de bonnes choses à manger.

– Beurk ! frissonna James.

Il regarda la maman hérisson se dérouler. Elle flairait, s'ébrouait et se gonflait d'importance comme pour prévenir une attaque éventuelle. Les bébés hérissons se déroulèrent à leur tour et se mirent à la suivre en file indienne.

– Pourtant, ils n'aiment pas la lumière du jour, dit Cathy, à nouveau inquiète .

– Qu'allons-nous faire ? demanda M. Hunter.

Il se baissa, comme pour aller repousser la maman hérisson dans le compost.

– Non, je ne crois pas que cela serait une bonne idée. Il vaut mieux les laisser tranquilles, dit Cathy.

Elle savait qu'il ne faut pas interférer entre une maman et ses petits.

– Si la mère les nourrit encore et que nous intervenons maintenant, elle pourrait se retourner contre eux et les tuer ! ajouta-t-elle.

M. Hunter et James eurent l'air choqué.

– Comment ? Tu dis qu'elle pourrait tuer ses propres petits ? demanda James, bouche bée.

Cathy fit un signe affirmatif.

– Ou bien elle pourrait les abandonner, ce qui reviendrait au même. Sans elle, ils seraient incapables de survivre. Ils sont trop jeunes !

Depuis que M. Hope avait montré à Cathy son premier nid de hérissons, celle-ci avait lu une brochure concernant les petites créatures, sans se douter à quel point elle lui serait bientôt utile.

Ils s'accroupirent tous les trois au bord de la pelouse pour observer la famille de hérissons qui essayait de se repérer en reniflant bruyamment. James et M. Hunter attendaient le verdict de Cathy pour décider de la marche à suivre.

– Elle a probablement un autre nid quelque part près d'ici, dit-elle : les hérissons en ont généralement une demi-douzaine au moins. Attendons de voir si elle trouve celui qui lui convient.

Bien que sa voix ait l'air assuré, Cathy savait que ces petites créatures sortent seulement la nuit. Le jour, les odeurs, les bruits, les lumières peuvent facilement les agresser.

Ils attendirent un moment. La maman hérisson reniflait toujours l'air humide du jardin. Sa vue était faible, mais elle y remédiait par son sens de l'odorat, très développé chez les hérissons, selon la brochure. Bientôt, elle démarra en zigzaguant sur la pelouse, ses petits toujours derrière elle. Elle se dirigea vers un vaste espace situé à l'opposé de la haie d'où ils venaient.

– Ils se sont perdus ! murmura James.

Cathy fit un signe affirmatif.

– J'en ai peur. C'est la lumière du jour qui les trompe, naturellement, mais nous ne pouvons rien faire sinon les surveiller !

– Ils se dirigent droit vers la maison ! grogna M. Hunter.

En effet, la minuscule procession ne semblait plus indécise et se dirigea droit vers le bac de géraniums situé devant la porte d'entrée des Hunter.

Cathy, James et M. Hunter les suivaient à une distance respectable.

– Peut-être que la mère va se rendre compte qu'elle est sur le mauvais chemin... dit James en essayant de rester positif. Ils vont très vite, tu ne trouves pas, Cathy ?

La petite famille de hérissons venait de couvrir les cent mètres de pelouse en un temps record. A présent, ils couraient tous en tournant devant la porte d'entrée des Hunter, dans une ronde précipitée.

Puis ils gravirent la première marche de pierre du perron, en levant la tête pour renifler l'air environnant – y compris les plus jeunes ! Enfin, de nouveau en file indienne, la mère et ses quatre petits gravirent courageusement une nouvelle marche pour se retrouver dans le vestibule des Hunter.

– Ils ont pénétré dans la maison ! souffla James. Ils sont dans le vestibule !

M. Hunter sentit sa gorge se serrer.

– Des hérissons dans mon vestibule ! s'écria-t-il. Ils sont couverts de puces et de poux, n'est-ce pas ? Ta mère va avoir une attaque !

Cathy tenta de le retenir tandis que les hérissons se rendaient compte de leur erreur. Mais M. Hunter avait cédé à la panique.

– Christine ! hurla-t-il en appelant sa femme.

Celle-ci devait se trouver quelque part dans la maison. La procession des hérissons, peut-être étonnée par la douceur du tapis de l'entrée, les odeurs de meubles cirés et l'air embaumé, s'immobilisa.

– J'arrive ! fit la voix de Mme Hunter, en provenance de la cuisine.

– Ne viens pas dans l'entrée ! l'avertit M. Hunter.

Ce qu'elle fit, naturellement.

– Qu'est-ce que tu veux dire par « ne viens pas dans l'entrée » ? demanda-t-elle.

Elle venait d'ouvrir la porte vitrée de la cuisine qui donnait dans le vestibule.

Il y eut un bruit confus de saut, de bousculade et de gratouillis derrière elle, un gros bruit de chien qui cherche à sortir à tout prix.

– Blackie !

C'était le labrador de James, et celui-ci fut le premier à réaliser le danger de la situation. Il monta rapidement les marches et se précipita dans le vestibule, passant devant la famille de hérissons. Il voulait rattraper Blackie avant que le chien ne débouche dans l'entrée. Le tendre museau d'un labrador ne ferait pas le poids devant les piquants d'une maman hérisson en colère. James plongea vers son chien – et le manqua !

– Mon Dieu, mais que se passe-t-il ? demanda Mme Hunter.

Cathy, elle aussi, s'était précipitée en haut des marches dans le vestibule et essayait de s'interposer entre Blackie et les hérissons.

– Couché, Blackie ! Couché ! ordonna-t-elle.

Mais le chien ne fit aucunement attention à elle. Il avait senti des hôtes importuns et il était trop tard pour l'arrêter. En trois bonds, il se retrouva museau contre museau avec la maman hérisson !

– Blackie, non ! cria James.

Impuissants, ils assistaient tous à la scène. La maman hérisson rentra son museau et recourba son épine dorsale. Elle n'était plus maintenant qu'une boule de piquants – des milliers de piquants forts et acérés. Les petits suivirent son exemple.

Le chien se mit à gronder. Il garda son museau au ras du sol et découvrit ses dents. Il fit un mouvement brusque en avant et essaya de mordre la boule. Puis il recula en aboyant d'un air plaintif. Il faillit presque renverser Cathy qui était là et assistait, impuissante, à la scène. Plein de douleur et de colère, Blackie se retira pour se mettre à l'abri des dangereux piquants du hérisson.

Tandis que le chien se réfugiait en hurlant à l'intérieur de la cuisine, la maman hérisson avait poursuivi son chemin. En un instant, elle s'était déroulée et était sortie du vestibule avant même que Cathy n'ait eu le temps de réagir. Quelqu'un avait déjà enfermé le chien blessé dans la cuisine et les quatre petits hérissons gisaient toujours en boule sur le tapis du vestibule. Ils devaient être terrifiés, les pauvres ! Mais leur maman était partie !

A l'extérieur de la maison, la maman hérisson passa devant Eric, le chat de James – qui resta perplexe – descendit les marches et se retrouva dans le jardin qu'elle traversa à toute allure, fuyant aussi vite que possible !

M. Hunter était partie à la poursuite de la maman hérisson.

– Arrêtez-la ! lui cria Cathy. Elle va sur la route ! Il faut à tout prix l'en empêcher !

– Mais comment ? dit M. Hunter.

Il avait un air ébahi. Comme Cathy, il pensait trop longuement avant d'agir. La maman hérisson s'était enfuie.

Cathy regarda la créature terrifiée qui filait en direction du portail. Puis elle baissa les yeux vers les quatre bébés hérissons encore étroitement enroulés sur eux-mêmes et pétrifiés de peur, qui gisaient au milieu du vestibule des Hunter. Alors, elle courut après leur mère.

La mère avait déjà atteint le portail du jardin. Il était fermé, mais cela ne l'arrêta pas. D'un seul élan, elle se glissa par en dessous. Et, trop effrayée pour se rendre compte du danger, elle se lança sur la route.

Cathy entendit la voiture. Elle ouvrit en trombe la porte du jardin. Il y eut un crissement de freins. Elle l'entendit mais ne put se résoudre à regarder et porta une main à ses yeux. La maman hérisson s'était enfuie du jardin des Hunter pour aller se jeter tout droit sous les roues d'une voiture !

2

L'accident était arrivé si vite que Cathy avait à peine eu le temps de réagir.

Les freins crissèrent et la voiture dérapa. Puis le moteur s'arrêta, et ce fut le silence !

Cathy se força à regarder. « Faites qu'elle n'ait rien ! Mon Dieu, faites qu'elle soit vivante ! » se dit-elle.

La voiture avait glissé sur le côté, son capot tourné vers le fossé à l'autre bout de la route, mais elle était intacte. C'était une grande voiture de couleur argentée dont le flanc était maintenant couvert de boue à cause du dérapage. Un homme ouvrit la porte, et sortit en secouant la tête d'un air ennuyé.

– Est-ce que je l'ai heurté ? demanda-t-il d'une voix anxieuse.

C'était un homme grand et brun qui portait un complet veston couleur gris sombre.

– Je n'en sais rien, répondit Cathy. Je ne la vois pas.

Elle allait et venait sur la route sans trouver trace de la femelle hérisson.

– Là ! dit l'homme en lui indiquant le fossé à ses pieds.

Il avait un fort accent écossais.

Cathy sentit son cœur bondir dans sa poitrine.

Le petit animal n'avait pas échappé aux roues de la voiture ; la fillette, s'attendant au pire, s'accroupit.

La maman hérisson était enroulée sur elle-même, mais l'une de ses pattes dépassait, offrant un angle bizarre avec le reste du corps. Aucun son ne sortait du petit animal.

– Oh ! s'exclama Cathy, prête à pleurer. Elle est blessée !

– Mais vivante, ajouta l'homme. Je crois qu'elle a une patte cassée.

– Pauvre petite !

Tout en regardant la victime, Cathy reprit courage. Puisque la maman hérisson n'était que blessée, il y avait encore un espoir de la sauver et donc des tas de choses urgentes à faire !

Sans plus perdre de temps, elle partit chercher les gants de cuir épais dont M. Hunter se servait pour jardiner et qu'il avait laissés dans la poche de son gilet. Elle les enfila et retourna vite auprès de l'animal blessé.

– Là, là, on va s'occuper de toi !

Elle passa doucement une main gantée sous le petit corps enroulé.

– Il faut l'enlever d'ici ! dit-elle.

D'un geste délicat, elle souleva le hérisson et le posa sur sa paume.

– Je vais reprendre ma voiture, dit l'homme. En fait, je n'habite pas loin, la prochaine maison. Vous n'avez qu'à me suivre !

Cathy, surprise, leva la tête. « La prochaine maison ? Celle de la fillette à l'air renfrogné ? »

L'homme était remonté dans sa voiture. Une main sur le volant, il se tourna vers Cathy.

– Oui, je suis médecin. Et vous avez l'air de vous y connaître en animaux. A nous deux, nous devrions être capable de nous en sortir !

Il sourit et remit la voiture en marche, puis il la conduisit lentement vers sa propre allée.

Cathy réfléchit quelques secondes. Elle lança un coup d'œil en direction de la maison des

Hunter. Ceux-ci devaient être encore en train de s'occuper de Blackie et des bébés hérissons. Il valait mieux qu'elle suive le docteur chez lui pour donner les premiers soins au hérisson blessé.

La même fillette brune qu'elle avait déjà vue, apparut cette fois derrière une pile de branchages qu'elle élevait dans un coin du jardin en vue du feu de joie de la nuit prochaine. Son père venait de lui faire un signe en passant, mais elle ne lui avait pas répondu. Quand elle vit Cathy courir derrière lui et pénétrer dans la maison, elle se contenta de les suivre du regard, puis elle disparut à nouveau derrière l'énorme tas de bois.

– Vite, venez dans la cuisine. Ma femme est là. Elle pourra vous aider, dit le docteur.

Une petite femme à la chevelure cendrée les accueillit à la porte de la cuisine.

– Je viens d'écraser un hérisson, lui expliqua-t-il. Peux-tu mettre à de l'eau à bouillir et nous faire une bouillotte que tu envelopperas dans une serviette ? Le hérisson a reçu un choc et il faut qu'il ait chaud !

Il s'activait, étendait des serviettes propres sur la table de la cuisine.

– A présent, dit-il à Cathy, comment allons-nous envelopper le pauvre petit animal ?

– Je n'en sais rien, répondit-elle.

Elle aimait bien cet homme avec ses gestes vifs et son accent écossais. Elle se présenta.

– J'habite à l'Arche des Animaux. Mon père et ma mère sont tous deux vétérinaires. Je m'appelle Cathy Hope.

– Et moi, je suis David McKay, dit-il en lui tendant la main. Je vais aller chercher un désinfectant au cas où il y aurait une plaie à nettoyer : pendant ce temps, vous l'envelopperez, d'accord ?

Cathy savait grâce à Simon, l'infirmier de l'Arche des Animaux, que si l'on berçait doucement un hérisson pendant quelques minutes, le mouvement obligerait peu à peu celui-ci à se dérouler. Aussi commença-t-elle à bercer la femelle hérisson avec des paroles douces. Mme McKay revint bientôt avec la bouillotte emmaillotée. Le hérisson se déroula lentement, laissant apparaître un ventre doux au toucher, de couleur gris-brun, et une patte arrière complètement disloquée. Celle-ci dépassait du corps de façon étrange et pendait d'un air misérable. Vers le milieu de la patte, bien au-dessus des petites griffes repliées, la peau était entaillée par une plaie rouge, encore ouverte.

– Hum... Il vaut mieux désinfecter ça. Je vais préparer une piqûre d'antibiotique. Je reviens dans une minute.

Le médecin donna à Cathy un tampon d'ouate trempée de désinfectant et sortit. Debout, à côté d'elle, sa femme regarda Cathy nettoyer doucement la blessure. Le petit hérisson humait l'air et tremblait, mais il ne se remit pas en boule et laissa Cathy le soigner.

Le Dr McKay revint bientôt et lui injecta adroitement une petite dose d'antibiotique.

– Tu as vraiment de la chance, lui dit-il. Quand on est un hérisson et qu'on s'est fait écraser, quoi de mieux que d'être secouru par la fille d'un vétérinaire !

Il fit un sourire à Cathy.

– Voici une jolie boîte en carton qui devrait lui convenir, dit Mme McKay.

Elle la sortit de dessous l'évier et y déposa la bouillotte avec quelques journaux dans le fond.

– Et maintenant, avez-vous besoin d'autre chose ? demanda-t-elle.

La plaie était enfin propre. Cathy jeta le tampon d'ouate et déposa la maman hérisson dans le nid chaud qu'on lui avait préparé.

– Il faut que je l'emporte à l'Arche, dit-elle, pour qu'on s'occupe de sa patte cassée. Il vaut mieux que je parte et que je passe chez les Hunter pour leur donner des nouvelles.

Elle regarda le Dr McKay et sa femme d'un air

reconnaissant et prit la boîte du hérisson. Alors une autre pensée lui vint à l'esprit.

« Les bébés ! »

La dernière fois qu'elle les avait vus, c'était dans le vestibule des Hunter. « Et Blackie ! Il faut que j'y aille ! » Elle se dirigea en hâte vers la porte puis se retourna.

– Merci. Je suis désolée, mais je dois me dépêcher !

Le Dr McKay lui fit un signe un peu brusque, à sa manière.

– C'est moi qui suis désolé d'être la cause de tout cela. Je ferai plus attention à l'avenir !

– Je suis heureuse que vous l'ayez évitée. La plupart des gens n'auraient pas pris cette peine.

Elle lui fit un rapide sourire et s'engagea dans l'allée. Puis elle remonta en courant le chemin de la maison des Hunter.

– James ! appela-t-elle. Est-ce que Blackie va mieux ?

Elle était sur les marches avec sa boîte en carton et attendait. Elle ne tenait pas à un nouvel accident.

James sortit, légèrement pâle mais calme.

– Blackie va bien maintenant. Son museau a beaucoup saigné au début, mais ma mère l'a nettoyé et désinfecté.

– Et où sont les bébés hérissons ?

James secoua la tête, l'air ennuyé.

– Je n'en sais rien. Je suis désolé, mais nous étions trop occupés avec Blackie et je les ai oubliés !

Cathy baissa les yeux vers le vestibule désert, puis sortit inspecter le jardin et le côté de la maison. Les bébés hérissons avaient disparu !

– Ils sont trop jeunes pour vivre seuls, James ! Ils ont encore besoin de leur mère !

– Mais tu as dit que leur mère ne voulait plus rien avoir à faire avec eux, à présent !

James était sorti avec Cathy pour l'aider dans ses recherches. Il jeta un coup d'œil derrière le bac de chrysanthèmes et le long de la pelouse.

– Pas si c'est nous qui devons nous en occuper, dit Cathy.

Soudain, elle eut une idée.

– Surveille la mère, veux-tu, James ? Elle a une patte cassée et il faut l'amener à l'Arche.

Elle lui tendit la boîte, puis se précipita vers la haie au bout du jardin pour ramasser le nid vide des hérissons qui était encore sur le compost.

– Si nous trouvons les bébés, nous pourrons peut-être les convaincre d'y retourner, expliqua-t-elle à James en revenant avec le nid.

– Eh bien, que faites-vous maintenant, les enfants ?

M. Hunter les observait depuis la porte de la cuisine. Il tenait fermement Blackie par son collier. Il avait retiré ses bottes et n'avait aux pieds que ses grandes chaussettes de laine. Il leur indiqua du doigt la boîte en carton.

– Comment va la malade ? Encore vivante ?

Cathy hocha la tête et recommença ses explications. Mais ils perdaient un temps précieux.

– Ce sont les bébés qui nous causent du souci à présent. Vous ne les avez pas vus, M. Hunter ?

Il réfléchit un moment.

– Voyons. La dernière fois que je les ai vus, c'était ici dans le vestibule : quatre petites boules de piquants. Avec un chien qui gémissait dans la cuisine et qui faisait du raffut !

Il se gratta le crâne.

– Ah, maintenant, je me souviens ! Les quatre petites boules se sont déroulées et elles ont piqué droit vers l'air frais du dehors, sur les traces de leur mère ! Mais elles n'ont pas descendu l'allée aussi vite ! Ah non, je crois bien qu'elles ont opéré un brusque tournant à gauche, du côté du bac à fleurs. Elles sont simplement retournées d'où elles étaient venues.

Cathy le remercia. Puis elle partit en reconnaissance dans le jardin, en bas de la maison, en appelant les petits hérissons et en regardant sous chaque buisson, son nid de brindilles et de feuilles sous le bras. Elle se baissa pour inspecter le sol sous la haie, en essayant de trouver quelque chose qui ressemble à une piste de hérissons. Ils laissaient généralement, avait-elle lu dans la brochure, des traces de leur passage dans l'herbe et les feuilles au cours de leurs sorties nocturnes et c'est ainsi qu'on pouvait repérer leur présence dans n'importe quel jardin.

Mais au bord de la haie, elle se retrouva face à face non avec les hérissons, mais avec la fillette McKay. C'était bien elle, à nouveau qui la fixait depuis le jardin voisin. Cathy la questionna.

– Sais-tu où les bébés hérissons sont allés ?

La fillette hocha la tête lentement d'un mouvement affirmatif.

– Où ? reprit Cathy dans un souffle.

– Ils sont dans la pyramide de mon feu de joie ! lui dit celle-ci d'un air triomphant.

Elle avait dit « mon » d'un air de défi.

– Ils sont venus s'y cacher en courant ! ajouta-t-elle.

« Bien entendu, se dit Cathy, c'est un autre endroit de choix pour des hérissons, plein d'insectes et de cafards ! »

– Attends-moi ! Je vais apporter leur nid et essayer de les y attirer à nouveau. Mais ne les touche pas, d'accord ? Continue simplement à les surveiller.

Tout en prenant soin de ne pas blesser les sentiments de Claire, elle savait combien il était vital de ramener les petits à leur mère sans que celle-ci puisse reconnaître sur eux l'odeur des humains.

Le visage pâle et renfrogné de la fillette disparut à nouveau de l'autre côté de la haie.

– Fais bien attention de ne pas toucher aux bébés ! lui répéta Cathy en s'en allant.

Elle se releva, saisit au passage le nid vide déposé sur la pelouse des Hunter et se mit à courir depuis la haie jusqu'au portail. En deux minutes, elle avait remonté le sentier puis descendu l'allée des McKay, sans oublier son précieux nid.

Elle se dirigea vers le feu de joie à moitié construit en faisant des plans pour sauver toute la famille de hérissons et l'emporter à l'Arche des Animaux. Là, on saurait sûrement s'occuper d'eux et ne pas séparer les petits de leur mère. Cathy avait pensé à tout. Elle obligerait les petits hérissons à rentrer dans leur nid en les attirant avec des asticots ou quelque morceau de choix. « Ils doivent sûrement être affamés », se dit-elle. Elle espérait qu'ils se laisseraient prendre à son piège.

Elle courait aussi vite que possible, mais elle arriva trop tard.

Claire se tenait debout près de son tas de bois. Elle avait à la main un panier à linge en plastique peu profond et le brandit à la manière d'un trophée quand elle vit Cathy arriver.

– J'ai réussi à les sauver ! lui annonça-t-elle fièrement, en balançant le panier sous le nez de Cathy. Comme tu vois, je les ai attrapés avant qu'ils ne s'enterrent sous mon feu de joie !

Cathy jeta un coup d'œil dans le panier en plastique blanc et aperçut les quatre petits hérissons en tas les uns sur les autres, qui essayaient de s'enfuir. Leurs griffes glissaient sur la surface lisse du plastique et ils poussaient des cris et appelaient à l'aide, en proie à la panique.

Cathy ferma les yeux et maugréa.

– Je t'avais dit de ne pas les toucher, soupira-t-elle.

Claire la regarda à son tour en tenant le panier contre elle.

– Tu n'as pas le droit de me dire ce qu'il faut faire ! répondit-elle. Ils ne t'appartiennent pas !

A l'intérieur du panier, les petits hérissons continuaient à glisser en poussant des cris aigus.

– Non, bien sûr ! dit Cathy en soupirant, mais ils ont besoin de leur mère !

Elle regarda la fillette d'un air désespéré.

– Et, à présent, ils auront encore plus besoin de soins. Il va falloir les élever... S'il te plaît, donne-les moi !

Ce n'était certes pas la manière d'agir idéale, mais c'était le mieux qu'elle pouvait faire maintenant. Elle posa sur le sol le nid devenu inutile et tendit les mains.

Claire la regarda de dessous sa frange sombre. On aurait dit que quelque esprit malin s'était emparé d'elle tandis qu'elle serrait le panier contre sa poitrine.

– Ils sont à moi ! dit-elle d'un air entêté. Je veux m'en occuper moi-même !

Et elle tourna rapidement les talons et traversa la pelouse en direction des portes du garage qui étaient grandes ouvertes.

Cathy resta sans voix. Elle regarda la fillette disparaître dans le garage avec les quatre bébés affolés. Claire venait de les enlever à leur mère ! Et, ce faisant, elle les avait réduits à la condition d'orphelins !

Cathy sentit des larmes de colère lui monter aux yeux tandis qu'elle retournait à pas lents sur la route. James l'attendait en silence. Sans un mot, il remit la maman hérisson dans son nid temporaire.

– Il vaut mieux que je l'amène à la maison le plus vite possible, dit Cathy d'un ton calme. Tu as vu ce qui s'est passé ?

James hocha la tête.

– Je vais la surveiller, c'est promis. Essaie de ne pas t'en faire.

Cathy sentit sa gorge se serrer. Elle monta la côte du village en portant sa malade avec précaution. Elle avait le cœur lourd et ses yeux lui brûlaient des larmes qu'elle avait retenues. Enfin, elle aperçut la pancarte de bois qui se balançait dans la brise : « l'Arche des Animaux. Docteur vétérinaire. »

« Au moins, un des hérissons a pu être sauvé ! » se dit-elle pour se consoler. Elle devrait s'en contenter pour l'instant.

3

– Qu'est-ce que tu as là ? Un poisson ou un oiseau ? demanda Jane d'un ton enjoué.

La réceptionniste de l'Arche des Animaux était assise comme d'habitude derrière son bureau.

Cathy lui fit un pauvre sourire en déposant sa boîte devant elle.

– Aucun des deux. C'est un hérisson femelle qui a la patte cassée. Il va falloir la soigner.

Jane mit ses lunettes – celles-ci pendaient au bout d'une chaînette passée autour de son cou – puis elle regarda dans la boîte.

Elle aperçut la bouillotte.

– Je vois que tu lui as déjà donné les premiers soins.

Elle observa Cathy plus attentivement.

– Dis-moi ce qui ne va pas. Tu as l'air ennuyé.

Cathy se contenta de secouer tristement la tête.

– Rien, dit-elle. Qui est de garde maintenant ? J'aurais aimé qu'on s'en occupe tout de suite. La pauvre petite doit avoir mal.

La maman hérisson ne bougeait plus : elle gisait immobile, avec sa patte blessée sur le côté, pendante et inutile.

Jane leva une partie du comptoir pour laisser passer Cathy dans la salle de soins.

– Simon est là. Ton père est allé à York pour une conférence et ta mère a dû sortir pour répondre à un appel.

Elle ouvrit la porte de la salle de soins.

– Une victime d'accident de la route, dit-elle à Simon.

Et elle referma doucement la porte.

Simon était infirmier à l'Arche des Animaux. Il avait abandonné le collège depuis peu et avec ses lunettes rondes et son air sérieux, il avait encore l'air d'un étudiant. Mais il était parfait avec les animaux, doux et ferme à la fois.

Cathy lui raconta toute l'histoire depuis le début. Elle avait gardé les gants de M. Hunter dans un coin de la boîte et elle s'en servit à nouveau pour saisir le petit hérisson dans sa paume et le sortir de la boîte.

Simon fit un signe affirmatif. Il ne parlait pas beaucoup mais il suivait attentivement tout ce qui se passait. Il examina la blessure avec soin.

– C'est bien désinfecté, dit-il. Lui avez-vous déjà donné à boire de l'eau et du glucose dans la maison du médecin ?

Cathy secoua la tête et sortit sur-le-champ pour aller chercher la bouteille de glucose. Elle savait qu'on en donnait aux animaux qui avaient subi un choc pour les aider à récupérer. Elle avait vu plusieurs fois Simon s'occuper de petites victimes d'accident. C'étaient parfois des hérissons comme celui-ci qui s'étaient fait écraser ou bien des hermines et des belettes qui s'étaient faites prendre au piège. Cathy aimait la façon attentive qu'il avait de s'occuper des petites créatures.

Elle l'observa faire tomber le liquide d'un tube étroit dans la gorge du hérisson. Puis il s'intéressa à la patte cassée.

– Regarde, dit-il, l'os a percé sous la peau. Mais c'est une fracture nette. Pas besoin de faire de radio.

Il prit un pansement fin et aéré.

– C'est une simple fracture du tibia. On ne peut pas se servir tout de suite d'un plâtre de

Paris. Du sparadrap et une attelle pour maintenir la patte suffiront pour l'instant.

Cathy, voulant se rendre utile, alla chercher le sparadrap et revint auprès de Simon qui mit le léger pansement en place, puis le fixa avec une forte bande de sparadrap et une paire d'attelles en plastique.

– C'est bon ! dit Simon.

Il travaillait vite et adroitement. Il ne lui fallut pas longtemps pour soigner la patte cassée et la maintenir par une paire d'attelles rigides en plastique blanc.

– Voilà qui devrait suffire à la maintenir, dit-il, en se reculant de la table de soins pour juger son travail.

Cathy ne put s'empêcher de sourire au triste petit hérisson à la patte raide. Elle caressa doucement son dos épineux avec sa main gantée.

– On dirait que tu reviens de la guerre ! murmura-t-elle.

– Elle en revient, dit Simon en souriant, mais elle devrait se porter bien à partir de maintenant. Et juste pour m'en assurer...

Il alla ouvrir un autre tiroir puis, en faisant un geste théâtral du bras, il sortit une petite boîte de poudre et une brossette. Il revint pour un traitement final.

– Un dernier coup de balai avec la poudre anti-vermine ! annonça-t-il.

Cathy fit la grimace.

– Ce sont les voies de la nature ! dit Simon d'une voix moqueuse. Les dos des hérissons font de merveilleux endroits pour les vers qui se logent entre leurs dangereux piquants. Et je ne parle pas des puces ! Il faut dire qu'elles ne sont pas un tel problème : elles ne sautent pas du dos d'un hérisson pour aller émigrer sur celui d'un homme, donc inutile de s'inquiéter ! Mais les vers, eux, transportent les microbes, surtout s'il y a une plaie. C'est dangereux. Aussi, voilà un hérisson sauvé des vers !

Il termina son coup de brosse et se recula à nouveau pour juger de l'effet.

– Comment vas-tu l'appeler ? demanda-t-il.

Cathy regarda la face aiguë du hérisson, son air éveillé et son museau fureteur. Elle voulait un nom qui évoque les hérissons parcourant le pays, à la façon de petits esprits libres.

– Rosa ! dit-elle.

C'était un nom de bohémienne, et il convenait bien à la petite aventurière. Elle ramassa la maman hérisson et la remit à l'intérieur du nid tiède et confortable.

– De quoi se nourrit-elle ? demanda-t-elle.

– De crapauds, de vers, de chenilles, de perce-oreilles, d'escargots, de souris mortes, d'oiseaux...

Simon se mit à réciter une longue liste de noms, puis éclata de rire devant l'air horrifié de Cathy.

– Ou encore de conserves pour chats, suggéra-t-il. Ce dernier mets devrait être considéré comme une nourriture cinq étoiles par la plupart des hérissons !

– Ouf ! Dieu merci ! dit Cathy en reprenant son sourire habituel.

Simon avait peut-être l'air sérieux avec ses cheveux blonds coupés court et ses lunettes rondes, mais il plaisantait toujours et il aimait bien vous taquiner.

– Et que penses-tu du pain et du beurre ? demanda-t-elle.

– Non, ça n'irait pas, dit Simon.

Il essuya la table et la désinfecta.

– Le lait de vache, reprit-il, contient des bactéries qui sont dangereuses pour les hérissons. Je connais des gens qui aiment le lait et les nourritures lactées mais, quant à moi, ce n'est pas un aliment que je conseillerais. L'eau est plus saine.

Il s'essuya les mains avec une serviette en papier.

Cathy hocha la tête. Comme elle voulait que Rosa reçoive les meilleurs soins possibles, elle enregistrait tous les gestes de Simon.

– Elle va bien maintenant, la rassura à nouveau celui-ci.

– Grâce à toi !

– Alors, qu'est-ce qui ne va pas maintenant ? demanda Simon gentiment. Pourquoi as-tu encore l'air de te faire du souci ?

Cathy baissa les yeux vers la boîte qui contenait Rosa et se résigna enfin à parler.

– Rosa a quatre bébés, dit-elle en secouant la tête. J'ai essayé de les sauver aussi, mais quelqu'un d'autre a décidé qu'elle le ferait mieux que moi !

– Qui ? demanda Simon.

– Claire McKay.

Cathy parlait plus qu'elle n'aurait voulu. Et voilà que tous ses soucis à propos des bébés hérissons refaisaient surface !

– Ils sont si minuscules, dit-elle.

– Oui, dit Simon. Ce sont de petits hérissons. Je suppose qu'ils ne sont pas encore sevrés, sinon ils n'auraient pas été dans le nid, n'est-ce pas ?

Cathy secoua la tête.

– Alors, que vont-ils devenir maintenant ? dit-elle, l'air désespéré.

Simon jeta un rapide coup d'œil à sa montre.

– Eh bien, le travail ici est terminé. Si nous laissions un mot à Jane pour ta mère et que je t'accompagnais chez Claire ?

Cathy leva la tête vers lui, le regard brillant d'un nouvel espoir.

– Vraiment ? dit-elle.

– Bien sûr ! Même si nous n'arrivons pas à convaincre Claire de nous donner les petits hérissons pour nous en occuper nous-mêmes, je pourrais au moins lui indiquer quelques bons trucs sur les soins à leur donner !

Simon plaça la boîte de Rosa sous la lampe chaude d'un incubateur et sourit.

– Cela vaut bien une visite, qu'en dis-tu ?

Cathy se sentit soulagée d'un grand poids.

– Pourquoi n'y ai-je pas pensé plus tôt ?

– Parce que tu étais très préoccupée par le sort de quatre petits bébés abandonnés par leur mère dans le vaste monde, répondit-il. Cela est bien compréhensible.

Cathy fit un signe affirmatif, sourit et poussa un soupir de soulagement.

Ils partirent donc ensemble dans le vieux fourgon de Simon, tout bringuebalant, et se dirigèrent par les chemins secondaires vers la route qui menait chez les Hunter et les McKay.

Cathy sonna à la porte des McKay d'une main tremblante. Elle était contente que Simon soit ici avec elle, au moment où la nuit tombait et d'un geste vif, elle remonta son écharpe en laine près du visage. Ils attendirent.

L'entrée s'éclaira et quelqu'un ouvrit la porte. C'était Claire McKay. En voyant Cathy, elle resta silencieuse, la main sur le chambranle.

– Bonsoir ! dit Cathy en essayant de prendre une voix enjouée. Il y a de bonnes nouvelles à propos de la maman hérisson. On va pouvoir la guérir ! Nous avons pensé que tu serais heureuse de le savoir.

Toujours pas de réaction de la part de Claire.

– Comment vont ses bébés ? reprit Cathy. J'ai amené Simon juste pour voir s'ils vont bien... Simon est infirmier à l'Arche des Animaux.

Toujours pas de réponse. Claire dut entendre un bruit derrière elle, en provenance du couloir et elle fit mine de refermer la porte.

– Ils sont à moi ! dit-elle enfin. Personne d'autre ne peut s'en occuper !

– Claire ! Qui est là ?

La voix douce de Mme McKay semblait inquiète, mais elle se rasséréna à la vue de Cathy.

– Eh bien, re-bonjour ! lui dit-elle. Vous devez être frigorifiés là-dehors. Entrez donc !

Claire fit la moue, mais Cathy et Simon se pressèrent d'entrer. Si Mme McKay réussissait à calmer Claire, se dit-elle, ils auraient plus de chances d'accéder aux petits hérissons. Dans l'atmosphère chaude de la cuisine, Cathy présenta Simon au Dr McKay et à sa femme.

– Comment va le petit hérisson ? demanda Mme McKay.

Elle mit sur la table du thé et des biscuits faits maison avec du beurre et de la confiture.

– En voie de guérison, répondit Simon.

Puis il leur donna quelques détails sur les soins qu'il avait prodigués à Rosa.

Les choses se présentaient bien, pensa Cathy. Tout le monde était amical et se montrait concerné par ce qui était arrivé, à l'exception de l'horrible Claire. Celle-ci était assise dans un coin, silencieuse et l'air furieux.

– Claire, pourquoi ne montres-tu pas à Cathy ton petit lapin, ? suggéra le Dr McKay à sa fille. Nous finirons de prendre le thé en vous attendant.

Sa voix avait un ton ferme et précis que même la boudeuse Claire ne pouvait ignorer. Elle lança un bref coup d'œil à son père puis se retourna et ouvrit brusquement une porte. Celle-ci communiquait avec le garage à travers un passage vitré dont les McKay se servaient comme lingerie.

Cathy regarda vers la porte puis se retourna vers Simon. Celui-ci lui fit un signe d'encouragement comme pour lui dire : « Tu peux y aller. » Et Cathy se leva pour suivre la fillette.

Claire s'accroupit derrière un clapier en bois. Elle parcourut légèrement de l'index le treillis métallique et lança de côté un regard furtif à Cathy. Puis elle tourna à nouveau son visage, plus boudeur que jamais, du côté du lapin.

– Comment s'appelle-t-il ? demanda Cathy d'une voix calme.

Elle regarda le petit lapin aux yeux brillants émerger de son clapier.

– Noiraud, répondit Claire d'une voix faible.

Elle avait presque avalé le mot.

– C'est un joli nom, dit Cathy. Il y a quelques lapins domestiques, à l'Arche des Animaux. Veux-tu venir les voir ?

Claire ignora son invitation et Cathy ramassa une feuille de pissenlit sur le sol et la tint contre le treillis de la cage. Noiraud s'avança et la renifla, puis se mit à la grignoter avec précaution.

– Quel âge a-t-il ?

– Six mois. Il n'avait que trois mois quand nous sommes arrivés. Maintenant, il en a six !

– Et il a bon appétit ?

Claire fit un signe affirmatif.

– Il s'est bien habitué ici, maintenant.

– Mais pas toi, n'est-ce pas ?

Cathy sentit qu'elle venait de toucher le point sensible. Elle devait faire très attention avec Claire. C'était comme si elle parlait à un lapin sauvage qui pouvait s'enfuir au moindre faux mouvement.

Claire secoua la tête.

– J'aimais bien mon ancienne maison. Et aussi mon ancienne école !

Cathy se rapprocha du treillis pour chatouiller Noiraud sur le museau.

– Cela prend toujours un moment pour s'habituer, dit-elle en souriant.

Elle se rappela combien Susan Collins était désagréable quand elle était arrivée ici pour la première fois. Et tout cela parce qu'elle était malheureuse que sa mère soit restée à Londres pour travailler.

– Tout est si différent ici ! Je n'ai pas d'amis !

– Est-ce pour cela que tu as voulu t'occuper des bébés de Rosa ? demanda Cathy.

Elle regarda à nouveau cette fillette étrange et solitaire. Elle voulait que les bébés hérissons soient « les siens » parce qu'elle n'avait personne à qui parler, parce qu'elle ne s'habituait pas à son nouvel environnement.

Claire rougit et releva la tête.

– C'est bien possible, admit-elle.

– Eh bien, veux-tu que je sois ton amie? demanda Cathy.

Claire la regarda à nouveau sans répondre.

– Laisse-moi au moins essayer, dit Cathy gentiment.

La lingerie servait de salle de rangement. Elle était pleine de caisses non déballées et de meubles encore inutilisés. Cathy regarda autour d'elle tout ce déballage en se demandant où était la porte du garage. Bien que désolée pour Claire, elle n'avait pas perdu de vue le but de sa visite et souhaitait retrouver les bébés hérissons.

Claire considéra ce qui l'entourait en soupirant.

– Simon sait tout à propos des hérissons, reprit Cathy, ce qu'ils mangent, à quel moment ils peuvent se débrouiller seuls, enfin tout ! Il peut t'aider à prendre soin des bébés de Rosa !

Claire soupira une dernière fois et se leva.

– D'accord, dit-elle. Dis-lui qu'il peut venir jeter un coup d'œil !

Cathy sourit et se précipita dans la cuisine pour annoncer la bonne nouvelle à Simon. Elle vit que M. et Mme McKay souriaient avec soulagement et qu'ils avaient l'air moins inquiet.

– Je comprends mieux maintenant, dit Mme McKay. Je me demandais ce qui se passait. Ainsi, Claire s'est occupée des bébés hérissons, n'est-ce pas ? Elle adore s'occuper des animaux, n'importe lesquels d'ailleurs, vous savez !

Cathy lui rendit son sourire. Voyant maintenant ce que les bébés de Rosa représentaient pour Claire, elle commençait à regretter d'avoir à les lui enlever.

– Elle a été très malheureuse depuis que nous avons déménagé d'Édimbourg, dit le Dr McKay à Simon. Prendre soin de ces bébés hérissons est peut-être ce dont elle avait le plus besoin en ce moment !

Simon approuva d'un signe.

– D'après ce que Cathy m'a dit, les bébés doivent avoir quatre à six semaines, dit-il aux McKay. Si je peux juste leur donner un coup d'œil, je pourrais vous dire ce qu'ils mangent, combien de fois par jour, etc.

« Une chose à la fois, se dit Cathy. Assurons-nous d'abord qu'ils vont bien. »

Les chaises crissèrent sur le carrelage de la cuisine tandis que tous trois se levaient pour suivre Cathy à travers la lingerie. Mme McKay alluma le garage et Claire les guida fièrement dans le bâtiment glacé. Elle se dirigea vers le coin le plus retiré, derrière la grande voiture argentée de son père.

– J'ai placé leur panier à côté du congélateur, dit-elle à Cathy, mais je leur ai mis des journaux pour qu'ils n'aient pas froid.

Cathy sentit que Simon se raidissait dans l'air glacé du lieu.

– Ils ont sûrement besoin de davantage de journaux, l'entendit-elle murmurer.

En se serrant, ils passèrent un par un contre la voiture et suivirent Claire jusqu'au nid de remplacement qu'elle avait aménagé.

– Oh !

Cathy entendit son cri d'alarme tandis qu'elle se penchait sur le panier en plastique blanc.

La peur la fit frissonner.

– Qu'est-ce qui ne va pas ? s'écria-t-elle.

Claire soulevait les morceaux de papier. Le nid était vide ! Sous l'emprise de la panique, son visage se rétrécit, puis les larmes commencèrent à couler.

– Tous les petits hérissons sont partis ! s'écria-t-elle. Il n'y en a plus un seul !

Cathy se précipita à son tour. Rapidement, elle fit le tour du panier. Il était vide ! Elle fit signe à Simon de venir s'en assurer.

– Ils se sont échappés, dit celui-ci. Ce panier

n'était pas assez profond. Ils ont pu en sortir en un rien de temps !

Mme McKay s'arrêta pour consoler Claire, mais Cathy ne pouvait penser qu'aux quatre petits hérissons. Ils étaient dehors, tout seuls et exposés à de multiples dangers : les renards, les blaireaux, les étangs, les pièges des chasseurs, les fils barbelés et les voitures ! La faim les menaçait. Ils pouvaient se séparer ou se perdre. Ils étaient même peut-être morts à l'heure qu'il était !

Cathy courut vers la porte du garage restée ouverte et regarda au-dehors : la nuit était tombée, il faisait presque noir.

Elle jeta un regard désespéré du côté du jardin : les hérissons avaient pu s'enfuir au milieu de la pelouse des McKay. Elle se força à percer la nuit du regard, à écouter tous les bruits autour d'elle qui pouvaient la mettre sur une piste. Elle écouta le bruit de la nuit.

Alors, avec le bruit des feuilles remuées, elle perçut un autre son. C'était un son minuscule, étrange et pathétique qu'elle se rappelait avoir entendu plus tôt, cet après-midi-là. Son cœur bondit dans sa poitrine et elle sentit sa bouche se dessécher. Le son reprit à nouveau ! C'était, à n'en pas douter, le cri aigu et assourdi des bébés hérissons perdus !

4

Cathy se tourna vers Simon d'un air consterné. Il l'avait rejointe sur la pelouse obscure.

– Ne t'inquiète pas, lui dit-il, nous allons trouver une solution...

Il se passa la main dans les cheveux.

Soudain, une idée traversa l'esprit de Cathy.

– J'ai trouvé ! s'écria-t-elle. Nous allons essayer de les attirer en posant une assiette de nourriture dans le jardin !

Simon l'approuva.

– Bonne idée ! Même s'ils ne sont pas complètement sevrés, les hérissons pourront sûrement apprécier une assiette de Kitekat ! Et nous pouvons demander aux McKay de nous prêter une paire de gants épais ainsi qu'une boîte pour les mettre dedans. Ce sera une sorte de mission de reconnaissance à travers les haies. Une patrouille à la recherche des hérissons perdus !

– Tu vas demander la boîte et moi, je vais chez James pour le Kitekat, si Eric le permet ! Peut-être que James pourra venir nous aider...

Cathy s'obligeait à agir. Quand elle s'occupait, elle pouvait repousser pour un temps ces horribles pensées à propos des hérissons. Elle quitta Simon et courut sonner à la porte des Hunter. James vint lui ouvrir. Il avait dans une main un sandwich au beurre de cacahouètes et tenait de l'autre un Coca-Cola. Comme d'habitude, il ne s'était pas peigné et ses lunettes avaient glissé sur son nez.

– James, nous avons besoin d'une assiette avec de la pâtée que tu donnes à Eric, pour les bébés hérissons ! Ne me demande pas pourquoi, termina Cathy.

Elle était à bout de souffle et avait l'air troublée.

– Une seule assiette suffira. Et j'allais oublier, tu peux nous aider, si tu veux bien...

James fit un signe d'assentiment, engloutit son sandwich et se précipita pour faire ce que Cathy lui demandait.

– Voilà aussi une torche ! dit-il en refermant le tiroir de la cuisine.

– Et n'oublie pas ta veste, James ! dit Mme Hunter.

Elle la lui mit au passage sur les épaules.

– De quoi s'agit-il, cette fois ?

Elle était un peu étonnée par la présence inopinée de Cathy à cette heure inhabituelle.

– Opération hérisson, dit Cathy. Nous partons à la recherche des bébés de Rosa !

– Oh ! s'exclama Mme Hunter en ouvrant la porte d'entrée, les bébés de Rosa ! Dans ce cas, il vaut mieux que je garde Blackie à l'intérieur !

Les deux enfants dévalèrent le couloir et sortirent, armés d'une torche et d'une assiette de pâtée.

– Oui, s'il te plaît ! Merci, Maman ! lui cria James, déjà sur le chemin.

Ils se hâtèrent de rejoindre Simon sur la pelouse des McKay.

– Tout va bien, leur dit Simon. Le Dr McKay nous encourage à chercher. Quant à Mme McKay, elle empêche Claire de sortir. Elle dit qu'elle est suffisamment troublée par la disparition des bébés hérissons !

– Elle peut l'être, en effet, murmura Cathy.

Elle se rappelait la stupide détermination de Claire à vouloir « sauver » elle-même les petits hérissons. Aimer les animaux, c'était bien : mais il ne fallait pas faire n'importe quoi !

Elle déposa sur l'herbe une assiette de Kitekat.

– Et maintenant, que faire d'autre ? demanda-t-elle.

Simon leva la tête et regarda le ciel nocturne. Le vent poussait de grandes bandes de nuages sombres vers la pleine lune.

– Attendre, dit-il.

Il enfila ses gants de laine et resserra l'écharpe autour de son cou.

– Par ici, et sans se faire voir.

Il entraîna Cathy et James sous un vieux hêtre et ils s'accroupirent tous les trois pour se mettre aux aguets.

Les minutes passèrent. Rien ne se produisit. Seuls les bruits mystérieux de la nuit interrompaient leur veille. Sous la haie, une brindille craqua. Un oiseau de nuit, probablement un hibou, étendit ses ailes avant de s'envoler. Et, de temps à autre, la plainte aiguë des petits hérissons qui appelaient leur mère rompait le silence. « Chut ! » Simon mit un doigt sur ses lèvres. Ils attendirent encore.

– Heureusement qu'on les entend, murmura Cathy. Cela veut dire qu'ils ne se sont pas enfuis tout à fait. Ils doivent tourner et tourner dans le jardin des McKay à la recherche de leur mère.

– Regardez !

James leur indiqua la sombre pyramide du tas de bois de Claire. Une forme émergea de l'ombre.

– C'est trop grand, dit Simon en retenant Cathy qui voulait s'élancer.

– C'est Eric ! s'écria James. Il se dirige vers l'assiette de nourriture, l'effronté !

– Laisse-le, dit Simon. Reste tranquille et attends !

Ils regardèrent Eric tourner autour du plat. Le chat en fit le tour à distance, d'un air distingué, le flaira du museau, leva la tête, circonspect, et s'éloigna d'un air digne. Il eut un mouvement des oreilles. Un nouveau son venait d'attirer son attention. Il reprit sa démarche silencieuse et se fondit dans l'obscurité.

James poussa un soupir de soulagement.

– Il vient juste de manger, expliqua-t-il. De toute façon, on dirait qu'il a perçu quelque chose de plus intéressant !

– Est-ce qu'il ne faudrait pas mettre le plat plus près de la haie, suggéra Cathy, au cas où les hérissons n'oseraient pas en sortir ?

– On pourrait le faire si on savait dans quelle haie ils se trouvent, dit Simon. Mais ils peuvent être n'importe où.

– Mieux vaut alors le laisser là, dit-elle.

Le vent chassa à nouveau les nuages devant la lune et de grandes taches sombres apparurent sur l'herbe du jardin. A nouveau, de petits animaux traversèrent la pelouse en bondissant et en la faisant frissonner, puis ils disparurent derrière les buissons. Mais toujours pas de bébés hérissons.

Toujours dissimulée dans l'ombre de la haie et glacée jusqu'aux os, Cathy frissonna.

– Regardez, un autre visiteur ! s'exclama Simon.

Cette fois, c'était une ombre à la fois plus robuste et furtive que celle du chat de James. Comme sortant de nulle part, son profil net se découpa, immobile comme une statue au bord de la pelouse. Puis la silhouette se mit à bouger et à avancer rapidement, de façon menaçante. Le clair de lune illumina soudain l'éclair blanc de sa poitrine.

– C'est un renard ! souffla Cathy. Il est magnifique !

Elle perçut dans l'obscurité la lueur de son regard et le regarda s'approcher furtivement. Sans une seconde d'hésitation, il baissa la tête vers le plat et engloutit la nourriture. Puis il s'éloigna d'un petit trot rapide. Sa queue touffue balaya le sous-bois de la haie et il disparut. Cathy retint son souffle, émerveillée.

Simon se retourna vers James.

– As-tu encore de la nourriture chez toi ?

Celui-ci fit un signe affirmatif et rampa jusqu'à l'assiette vide pour aller la remplir de nouveau.

– Ne laisse pas tomber ! dit Simon à Cathy. Ces petits hérissons sont capables de sentir la nourriture de très loin !

– A moins qu'un renard ne les devance ! dit-elle en frissonnant de nouveau.

La nouvelle assiette de Kitekat attira encore d'autres visiteurs, mais pas ceux que l'on attendait. Une minuscule musaraigne au museau pointu traversa la pelouse, prit une bouchée de nourriture et disparut rapidement. Un énorme chat de gouttière qui rôdait dans l'allée, s'avança d'un pas pesant vers l'assiette abandonnée, mais cette fois, Simon fut plus rapide que lui et il fut sur pied en une seconde. Il réussit à le chasser en agitant violemment les bras.

– Il ne nous manque plus qu'un blaireau ! soupira-t-il en revenant s'asseoir près d'eux.

– Chut !

Cathy était attentive au moindre cri poussé par les bébés hérissons et le dernier lui semblait s'être rapproché. Et en effet, une petite forme ronde se profila bientôt, se risquant hors de la haie voisine.

Elle s'arrêta, poussa un couinement minuscule et se dirigea droit vers l'assiette de Kitekat ! Cathy faillit pousser un cri de soulagement.

– Attends ! lui dit calmement Simon. Laisse-le manger. Les autres peuvent encore le suivre.

Chaque parcelle du corps de Cathy voulait s'élancer au secours du petit animal, mais elle se contint et se força à s'immobiliser.

Courageusement, le hérisson s'avança jusqu'à l'assiette. Puis il posa ses deux petites pattes de devant contre le bord du plat, flaira la viande hachée d'un côté et de l'autre, et commença à y plonger le museau pour festoyer à son aise !

– Celui-ci s'appellera Scout ! suggéra Cathy.

Après tout, c'était lui qui avait hardiment foncé en avant et ouvert la piste à ses frères. Car, à l'émerveillement de Cathy, un autre bébé hérisson émergea bientôt de la haie. Celui-ci avançait en zigzaguant, flairant et reniflant les traces de son aîné. Lui aussi émit à son tour un petit bruit de contentement et s'attabla au banquet, le museau plongé dans l'assiette, sa petite queue en l'air.

– Et celui-ci, ce sera Crampon ! dit James.

Puis vint le numéro trois. Encore plus petit que ses deux aînés, il devait mesurer sept à huit centimètres de long. Il s'étira pour atteindre l'assiette, faillit tomber la tête première dans la nourriture et finit par se retrouver dedans jusqu'aux oreilles, en train de patauger joyeusement dans la pâtée.

– Voilà Tiquette ! s'écria Cathy en relevant la tête, le regard brillant d'excitation.

– Où est le quatrième ? murmura James en essayant de percer les profondeurs obscures de la haie.

Cathy entendit alors le cri assourdi et lointain du dernier-né de la portée.

– Le voilà ! dit-elle.

Le dernier bébé hérisson parut. Il avait l'air perdu et abandonné. Mais il avait entendu les cris de ses frères et il avait senti la bonne odeur de nourriture. A une vitesse incroyable, il se précipita vers l'assiette de Kitekat pour rejoindre les trois autres hérissons et prendre sa part du plantureux banquet.

– Et celui-ci sera Rapidos ! annonça James, le visage réjoui.

– Vous êtes prêts ? demanda Simon.

Cathy, James et Simon enfilèrent tous trois leurs gants de cuir et se mirent à ramper en direction des hérissons. Ils priaient pour que ceux-ci, trop occupés, ne les remarquent pas. Tous les quatre s'empiffraient à qui mieux mieux quand ils arrivèrent sur place.

– Allons-y, leur dit Simon d'un ton ferme.

En un éclair, Cathy recouvrit Crampon de sa main gantée. Celui-ci avait le museau plein de pâtée et il poussa un cri pour protester contre cette interruption. Cathy remarqua une petite tache plus claire, dénuée de piquants derrière son oreille gauche : c'est comme cela qu'elle le reconnaîtrait, se dit-elle. D'un geste rapide, elle le fit entrer dans la boîte que Simon avait apportée de la maison.

A son tour, James enleva prestement un deuxième bébé hérisson pour le mettre en sécurité à l'intérieur de la boîte. C'était Scout, celui à l'allure aventureuse en zigzag qui avait les manières d'un explorateur et l'air ébouriffé et insouciant. Puis Simon sauva la petite Tiquette et, en dépit de ses protestations, l'envoya rejoindre ses frères dans la boîte.

– Attention à Rapidos ! s'écria Cathy.

Le bébé hérisson avait, en effet, opéré une prompte retraite. Les cris des trois autres lui avaient donné l'alarme et il fonçait à nouveau vers la liberté !

Alors Cathy, mi-rampant, mi-courant sur la pelouse, réussit, comme lorsqu'on plaque un ballon de rugby, à l'arrêter dans sa course juste au moment où il allait rejoindre la haie. Ce fut une dure capture et Rapidos criait plus fort que les trois autres, mais elle parvint enfin à le reprendre sain et sauf ! Elle revint avec le dernier hérisson et le fit entrer dans la boîte.

James et Simon souriaient en se donnant de grandes tapes dans le dos. Et Simon fit à Cathy un baiser rapide sur la joue.

– Nous rentrons à l'Arche des Animaux ? lui demanda-t-il.

Elle fit un signe d'approbation.

– Et toi, James, tu viens aussi ?

– Essaie de m'en empêcher !

Ils frappèrent tous les trois à la porte des McKay pour les avertir du succès de leur mission. Puis chez James où ils firent de même, avant de se retrouver devant le camion de Simon, épuisés mais heureux.

Simon alluma les phares du véhicule tandis qu'il mettait difficilement son moteur en marche.

– Regardez !

Il indiquait deux hérissons adultes qui se traînaient sur la route au-devant d'eux. Il secoua la tête d'un air impuissant et attendit patiemment que ceux-ci atteignent le bas-côté et disparaissent dans l'herbe.

– Pas étonnant que l'on en écrase autant !

Une minute ou deux plus tard, le camion fonçait sur la route enfin dégagée. Ils traversèrent Welford, passèrent devant le pub Fox and Goose, puis reprirent la longue montée qui menait à l'Arche des Animaux. Le camion de Simon, tout inconfortable et bringuebalant qu'il soit, les ramena en sécurité à la maison.

Cathy vit sa mère ouvrir la porte. Elle avait dû entendre le camion arriver. Cathy sortit du véhicule en serrant contre elle la boîte qui contenait ses précieux réfugiés et descendit en courant l'allée du cottage.

Mme Hope les accueillit par un large et chaleureux sourire.

– Entrez tous et fermez la porte, puis racontez-moi toutes vos aventures !

Elle avait changé sa blouse contre un pantalon et un grand pull confortable, sa tenue de relaxation à la fin d'une journée de travail.

Cathy lui rendit son sourire. Dans l'atmosphère chaude et rassurante de la cuisine, elle déposa la boîte sur la table et avec précaution, entreprit d'ouvrir le couvercle. Comme les bébés hérissons étaient mignons !

Sa mère jeta un coup d'œil à l'intérieur et murmura : « Bravo ! » Puis, elle leur fit signe de la suivre jusqu'à la salle de soins située à l'arrière de la maison. La lumière était encore allumée et M. Hope était occupé à vérifier la température de Rosa. Il chantonnait... Il leva les yeux vers Cathy qui arrivait avec sa boîte en carton.

– Tout va bien, dit-il. Sa patte est en train de guérir. Je devrais pouvoir lui mettre le plâtre bientôt, quand l'enflure aura diminué.

Il regarda la boîte, l'air curieux.

– Si je ne me trompe pas, c'est un grand jour pour cette maman hérisson blessée !

Cathy fit un signe d'approbation et s'avança.

– Nous avons retrouvé ses bébés ! Tous les quatre, sans exception !

Et elle lui montra la boîte d'un air ravi, en lui faisant remarquer les quatre petits hérissons pelotonnés tout au fond.

– Voici Scout ! dit-elle.

Et elle le prit et l'éleva à la lumière. Elle était devenue experte dans l'art de les saisir sans se faire mal. Elle plaça le petit rouquin près de sa mère, sous la douce tiédeur de l'incubateur.

– Et cette petite-là, c'est Tiquette. Celui-ci Rapidos, et celui-là Crampon !

Les quatre bébés hérissons se retrouvèrent bientôt près de leur mère, dans la cage aérée qui lui servait d'abri.

– Voyons maintenant si elle va les accepter à nouveau, dit M. Hope. Nous aurons peut-être de la chance !

Cathy jeta un regard inquiet sous l'incubateur.

Les bébés avaient été manipulés de nombreuses fois depuis que Rosa avait tenté sa propre course vers la liberté. Serait-elle heureuse de les revoir ou bien se tournerait-elle contre eux ? Cathy retint son souffle.

D'abord Rosa poussa un petit cri de surprise. Puis, elle avança son museau, lécha et flaira chacun des petits à leur tour. Elle faisait de légers mouvements de côté avec sa patte raide et maladroite. Puis elle couina de plaisir et poussa tous ses bébés dans un coin. Tout excités, ils se mirent à crier en luttant pour garder leur équilibre. Elle les força alors à trouver leur place, en les dirigeant du museau.

Cathy leva la tête vers les personnes rassemblées dans la salle de soins, c'est-à-dire Simon, James, son père et sa mère et leur sourit.

– Les voilà de retour en famille ! dit-elle en soupirant d'aise.

Elle regarda à nouveau les hérissons et vit que les quatre bébés, ravis, étaient occupés à téter leur mère, une maman hérisson très, très heureuse.

5

– L’Arche des Animaux mérite vraiment son nom ! dit Mme Hope le lendemain matin.

Elle regardait Cathy prendre une cuillerée de Kitekat pour la donner à Rosa et à ses bébés.

– Je sais. N’est-ce pas merveilleux ? dit celle-ci.

Il n’y avait rien de mieux au monde que de secourir des animaux en danger pour leur rendre la santé et la sécurité. Cathy se baissa, déposa l’assiette de métal dans le nouveau refuge des hérissons et les observa tous se précipiter vers la nourriture.

– Ils ont vraiment bon appétit ! dit Mme Hope en riant.

Elle regarda Rosa saisir le plus petit de ses

bébés avec sa patte raide et le faire tomber sur le côté dans un lit de journaux.

– Pauvre Tiquette ! dit Cathy en riant. Elle est prédisposée aux accidents, on dirait !

Et elle remit le petit animal sur ses pattes.

Mme Hope se penchait par-dessus l'épaule de Cathy pour observer les cabrioles des hérissons.

– Quand sera-t-il temps de les relâcher dans la nature ? demanda-t-elle.

Cathy se mordit la lèvre.

– Je ne sais pas encore.

Elle s'était déjà posée la question une fois ce matin, au saut du lit et avant de se brosser les dents, mais elle l'avait prudemment ignorée.

– Nous venons juste de les retrouver, dit-elle, et c'est encore trop tôt pour y penser !

– Bien sûr, mais tu dois penser à les relâcher dès qu'ils seront prêts, ne l'oublie pas ! Tous les animaux sauvages ont besoin de liberté, tu le sais bien !

Cathy hocha la tête en murmurant tout bas, « Je sais ». Ce n'était pas un sujet dont elle voulait parler en ce moment. Elle déposa un bol d'eau dans la cage et regarda la maman hérisson boire goulûment.

– Parles-en avec Simon, dit sa mère d'une voix douce mais ferme. C'est un expert en hérissons…

Et elle se leva pour entrer dans la salle de soins.

Cathy avait encore dix minutes avant de partir pour l'école. Dix minutes pour examiner ce problème épineux ! Son regard se porta sur les bébés hérissons. Elle aimait déjà cette petite famille. Elle connaissait le nom et le caractère de chacun d'eux. Il y avait Scout, l'explorateur courageux ; puis Tiquette, la maladroite ; Rapidos, le coureur ; et enfin Crampon, celui à qui il manquait des épines ! Elle pensa aussi à Rosa et au cauchemar que celle-ci avait dû vivre en perdant ses petits. Comment elle, Cathy, supporterait-elle de s'en séparer ?

Puis elle se souvint de Claire McKay devant son feu de joie qui serrait contre elle le panier en plastique blanc qui contenait les bébés perdus. « Ils sont à moi ! » avait crié Claire d'un air têtu et boudeur. Et en disant cela, elle avait presque ruiné la vie des quatre pauvres petits !

Bien entendu, Claire était très ennuyée quand les bébés avaient disparu. Cathy se rappelait comment Mme McKay s'était précipitée pour la consoler. Elle avait pleuré comme si c'était la fin du monde. Mais elle avait eu tort de ne penser qu'à elle et de ne pas s'inquiéter du sort des hérissons. Avec Cathy, les animaux devaient toujours avoir la première place !

« Voilà que j'agis comme elle, se dit celle-ci. Si je dis que je veux garder Rosa et ses bébés près de moi, je fais exactement la même chose que Claire ! »

Aussi, quand Simon arriva pour son travail, elle avait pris sa décision.

– Combien de temps cela va-t-il prendre pour guérir ces hérissons avant de les relâcher ? demanda-t-elle d'une voix calme.

Il lui sembla qu'elle n'avait jamais dit quelque chose d'aussi pénible de toute sa vie.

Simon lui lança un rapide coup d'œil, l'air attendri.

– Avant de les relâcher dans la nature, tu veux dire ? Quelques jours, une semaine tout au plus. Ils ont à peu près cinq semaines, et à six, ils sont généralement sevrés et quittent le nid pour voler de leurs propres ailes. Dès qu'ils auront retrouvé un bon poids, il faudra les relâcher sur-le-champ !

Cathy hocha la tête. Quelques jours seulement ! Il ne lui restait pas beaucoup de temps !

– Et que devons-nous faire pour les aider ?

– Bien les nourrir. Et les peser chaque jour. Quand ils auront dépassé quatre cents grammes environ, et qu'ils seront sevrés, alors ils seront prêts à partir ! Est-ce que tu ne vas pas à l'école ? demanda-t-il soudain.

Il venait d'enfiler sa blouse et la boutonnait.

– Je suis déjà partie ! s'écria Cathy.

Elle remonta sa fermeture Éclair et attrapa son cartable au passage. En quelques secondes, elle avait bondi sur sa bicyclette et pédalait comme une folle vers le bureau de poste de McFarlane où James l'attendait à la croisée des chemins. Tout en pédalant sur la lande en direction de l'école, elle restait silencieuse. Elle n'avait pas envie de parler. S'occuper des animaux pouvait parfois se révéler terriblement douloureux !

Elle se plongea dans son cours de maths comme si c'était le sujet le plus passionnant qui soit ! Ce n'était pas le cas, mais cela lui permit de ne plus penser à Rosa et à ses petits. Aujourd'hui, elle avait besoin de se tenir à l'écart de l'Arche des Animaux et de penser à autre chose !

– Une partie du problème, dit Simon ce soir-là, c'est le chemin qu'ils ont choisi pour leur parcours.

Il sortait Scout de la cage pour le peser.

Il plaça soigneusement le hérisson sur le plateau d'une balance de cuisine ordinaire, mais Scout couina et réussit à descendre tant bien que mal. Simon se gratta la tête, l'air embarrassé.

– Tu veux dire qu'ils sont trop près de la route ? dit Cathy.

Elle saisit Scout qui marchait sur la table et le rendit à Simon qui fit un signe affirmatif.

– Et quand ils ont établi un chemin, une piste à suivre, ils s'y tiennent, n'est-ce pas ?

– Oui, parce qu'ils construisent leur nid le long de la route. Et n'oublie pas qu'il peut mesurer jusqu'à deux kilomètres !

Simon était en train d'établir un nouveau plan pour peser Scout. Il sortit une autre balance, un peu différente de la première. C'était une balance à ressort, une sorte de bascule avec deux crochets au bout. Il surprit le regard méfiant de Cathy.

– Ne t'en fais pas ! lui dit-il en souriant.

A l'aide d'un morceau de fin coton blanc, il se mit à fabriquer une bretelle qu'il accrocha à l'un des côtés de la balance.

– Deux kilomètres ! s'exclama Cathy. Mais je croyais qu'ils se cantonnaient dans un seul jardin !

– Pas du tout, reprit Simon. Les hérissons sont de grands voyageurs.

Il plaça Scout dans la bretelle et commença à rétablir l'équilibre en posant des poids sur la balance. Il faisait tout cela très soigneusement.

– Mais le parcours de Rosa est dangereux parce qu'il semble traverser la route juste devant la maison des Hunter. Celui-ci pèse trois cent dix grammes ! annonça-t-il fièrement.

Il nota le poids sur un carnet. Cathy étouffa un grognement d'admiration. Scout était un petit hérisson replet qui semblait apprécier son nouveau et luxueux régime de Kitekat !

– Crois-tu que tu peux continuer ? lui demanda Simon.

Elle fit un signe affirmatif et prit sa place. Puis, très soigneusement à son tour, elle se mit à peser et à noter le poids des trois autres hérissons. Aucun n'était aussi lourd que Scout, mais tous pesaient autour de trois cents grammes, même Tiquette.

– Et que se passe-t-il s'ils sont trop légers ? demanda Cathy.

– Ils ne seront pas assez forts pour hiberner. Ils n'auront pas suffisamment de réserves de graisse pour leur permettre de traverser l'hiver. Bref, ils peuvent mourir de faim !

Simon s'était déplacé pour observer de plus près un cacatoès au plumage d'un blanc maladif surmonté d'une crête jaune vif. C'était un nouveau pensionnaire de l'Arche des Animaux et il glousa d'un ton maussade quand Simon s'approcha de sa cage.

Encore sous le coup de l'émotion – devoir se séparer de Rosa et de ses petits si rapidement – Cathy préférait changer de sujet.

– Comment en sais-tu autant sur les hérissons ? demanda-t-elle.

– Je les aime, c'est tout ! répondit Simon. Et j'ai une amie qui a fait une étude particulière sur eux. Nous étions ensemble au collège. A présent, elle travaille pour la radio sur le programme de *La Vie sauvage*. Tu connais ? L'émission s'appelle « Les Voix de la Vie sauvage ». Tu serais étonnée de savoir tout ce qu'elle connaît sur eux. Oui, Michelle est vraiment une experte en matière de hérissons !

Ils furent interrompus dans leur occupation par une brève visite de James et de Susan Collins. Celle-ci semblait beaucoup plus heureuse depuis qu'elle s'était acclimatée au village, et Prince, son poney, était magnifique, lui aussi. Susan était en tenue de cheval et avait l'air radieuse.

– Bonjour Cathy ! James m'a dit que tu viens de sauver toute une famille d'adorables petits hérissons. Est-ce que je peux les voir ?

Cathy laissa Susan faire connaissance avec les hérissons et se tourna vers James. Elle voulait lui parler sérieusement.

– Je me demande si nous ne pourrions pas changer l'itinéraire du parcours de Rosa, lui dit-elle.

Nous ne voulons pas la remettre en liberté dans ton jardin pour la voir se précipiter à nouveau sous les roues d'une voiture !

James lui fit un signe d'approbation.

– Je vais y penser, dit-il. Mais je ne vois pas très bien ce que nous pourrions faire, à moins de creuser un tunnel !

Même Cathy dut convenir que c'était un peu trop demander. L'air pensif, elle regarda James et Susan partir ensemble. Comme ils traversaient la cour, elle les vit dire bonjour à une figure qui lui était familière. C'était celle de Claire McKay qui était descendue de la voiture grise de son père et qui se dirigeait tout droit vers la réception. Cathy, étonnée, se demanda : « Que veut-elle donc ? » Simon regarda sa montre, puis leva les yeux vers Cathy.

– C'est presque l'heure de rentrer, dit-il. Oh, oh ! Qu'est-ce qu'il y a maintenant ?

Cathy, le front plissé, lui indiqua la fenêtre.

– Calme-toi, dit Simon. Voyons d'abord ce qu'elle veut.

Claire entra seule dans la réception. Curieuse, Cathy la suivit du regard, puis se recula. Claire portait une boîte à chaussures bleue avec des trous dans le couvercle pour permettre à l'animal de respirer. Depuis la salle de soins, Cathy l'entendit parler à Jane et celle-ci lui murmura quelque chose en retour. Il y eut une pause, la porte s'ouvrit et Claire entra avec sa boîte, tandis que Jane annonçait : « Un accident de la route ! »

Claire n'osait pas avancer. Immobile, elle baissa la tête et son visage disparut derrière deux pans de cheveux sombres. Cathy pensa soudain qu'elle avait l'air toute menue et misérable.

– Qu'est-ce que tu as là ? lui demanda Simon.

– Un hérisson, répondit Claire.

Elle parlait tout bas. Elle fit quelques pas hésitants puis leva la tête et regarda Cathy.

– Je suis tout à fait désolée pour les bébés hérissons ! Je ne voulais pas leur faire de mal !

Elle avait les yeux pleins de larmes. Cathy vit à quel point elle était troublée.

– Tu les aimes vraiment, n'est-ce pas ?

Claire fit un signe affirmatif. Les larmes coulèrent plus fort sur ses joues.

– Je ne voulais pas les voler, dit-elle.

Cathy se radoucit sur-le-champ. Jamais elle ne pourrait en vouloir à quelqu'un qui aimait les animaux ! Elle s'avança vers Claire en lui souriant gentiment.

– Cela n'a plus d'importance, ils vont bien maintenant ! Est-ce qu'il y a quelque chose qui ne va pas avec celui-là ?

Claire ne répondit pas et ouvrit la boîte. Cathy aperçut dans un nid, bien confortable cette fois, tiède et à l'abri du danger, un hérisson de taille adulte qui nasillait tranquillement dans un coin. Il avait les pattes arrière grossièrement attachées avec un fil en plastique vert foncé, comme celui dont se servent les jardiniers pour supporter leurs plants de petits pois et de haricots. Apparemment, ce vieux hérisson avait fait la bêtise de tomber sur un tas de fil usé et de s'y prendre les pattes de façon inextricable. A présent, il ne pouvait plus bouger du tout.

– Où l'as-tu trouvé ?

Cathy fit signe à Simon de venir examiner l'animal de plus près.

– Dans mon feu de joie. C'est un endroit idéal pour eux, n'est-ce pas ?

– Oui, jusqu'à ce qu'on y mette le feu ! répondit Cathy en riant.

– Oh, bien sûr ! Je ferai attention ! promit Claire. Je l'ai appelé Gavroche, ajouta-t-elle d'un ton plus enjoué.

Cathy sourit, mais Simon qui coupait le fil par endroits avait l'air un peu inquiet.

– Qu'y a-t-il ?

– Je me demande si… hésita-t-il.

Il libéra Gavroche et l'approcha de lui. Cathy,

à côté de Claire, attendait son verdict. Claire commençait à s'inquiéter à son tour.

– Il va bien, n'est-ce pas ? Ses pattes n'ont rien ?

– Ses pattes vont très bien maintenant ! dit Simon. Mais pas ses yeux, j'en ai peur. Regardez !

Les deux fillettes regardèrent Gavroche qui, depuis que Simon l'y avait déposé, n'arrêtait pas de tourner en cercles lents sur la table. Simon plaça alors une pile de serviettes en papier sur le chemin du hérisson et l'animal buta dessus.

– Il est aveugle ! dit doucement Cathy.

Simon hocha la tête.

– Probablement à cause de l'accident.

Cathy s'approcha et vit que les yeux ronds du hérisson, d'ordinaire brillants, étaient mornes et éteints. Elle entendit Claire se remettre à pleurer.

– Attends ! Regarde ça !

Elle alla chercher une assiette de nourriture et la posa sur la table, un peu à l'écart de Gavroche.

Celui-ci releva le museau. Il flaira l'air, sentit la nourriture et partit comme une flèche dans sa direction.

– Son sens de l'odorat n'est pas affecté en tout cas ! Peut-être, peut-être que...

Simon s'appuya sur son menton et se mit à réfléchir.

Cathy devina ce qu'il allait dire ensuite.

– Crois-tu ce que je crois ? lui demanda-t-elle. Qu'il est aveugle, mais pas irrécupérable ?

– Tout à fait. Les hérissons se repèrent généralement plus à l'odorat qu'à la vue. Et il n'y a aucune raison pour laquelle celui-ci ne pourrait pas être heureux, aussi longtemps que...

– Quelqu'un s'occupe de lui ! dit Cathy en terminant sa phrase.

Elle était très excitée d'avoir deviné juste.

– Il a besoin de quelqu'un pour s'occuper de lui, pour le nourrir, etc.

Ensemble, Simon et elle levèrent les yeux vers Claire.

– Moi ! dit celle-ci dans un souffle. Moi ! Je m'en occuperai ! Il pourra vivre dans mon jardin et je ne l'ennuierai pas, je vous le promets ! Je lui donnerai simplement sa nourriture et je veillerai sur lui. Attendez que je le dise à mon père !

Et elle sortit en courant pour aller le chercher.

Simon sourit à Cathy.

– On dirait que tout va pour le mieux !

Le Dr McKay revint avec Claire. Il avait l'air intrigué. Cathy lui expliqua la situation.

– Cela me semble être une bonne idée, approuva-t-il. Et c'est juste ce dont Claire a besoin en ce moment ! Claire et Gavroche également, ajouta-t-il en souriant.

Il remercia chaleureusement Cathy et Simon. Celui-ci leur décrivit la boîte idéale pour un hérisson qui doit hiberner.

– Vous comprenez, sa cécité peut l'empêcher de rassembler les matériaux nécessaires pour se faire un nid lui-même !

Cathy emmena Claire voir Rosa et sa famille et lui montrer comment se portaient les hérissons après une journée passée à l'Arche des Animaux. Puis elle lui expliqua le genre de nourriture qu'il faudrait donner à Gavroche.

– Il va sûrement fouiller le sol à la recherche de limaces par exemple, mais la nourriture que tu lui donneras l'aidera à se mettre en forme pour attraper lui-même tout ce qui bouge plus vite, comme les insectes et les mille-pattes.

Claire hocha la tête à nouveau.

– D'accord. Il aura de quoi faire dans mon jardin. Il y a plein de place et puis, je prendrai bien soin de lui, promit-elle.

– Plein de place ! répéta Cathy, l'air rêveur.

Elle se rappelait le vaste jardin de Claire avec toutes ses haies, ses buissons et ses recoins d'ombre comme les aiment les hérissons.

– Oui, dit-elle, c'est un bel endroit pour des hérissons.

Soudain, elle eut une idée. Elle se précipita

vers Simon et le Dr McKay qui discutaient à l'écart.

– Attention ! dit Simon. Cathy vient d'avoir une idée, j'en mettrais ma tête à couper !

– Tu as raison, dit Cathy et elle est géniale !

Elle avait du mal à se contenir. Elle sourit à Claire.

– Eh bien ? demanda le Dr McKay en souriant à son tour.

– Eh bien, vous avez un immense jardin...

– Ou... Oui !

– Et Claire adore les hérissons...

– Oui !

– Et à la fin de la semaine, nous devons remettre Rosa, Crampon, Tiquette, Scout et Rapidos dans la nature !

– Oui ! Oui ! Oui ! fit à nouveau le docteur.

Son ton de voix montait et devenait de plus en plus aigu.

– Et votre immense jardin est tout près de leur parcours habituel, aussi pourraient-ils facilement se repérer, dit Cathy.

– Si toutefois ? dit prudemment le Dr McKay.

– Si toutefois vous nous laissez établir un refuge pour hérissons dans votre jardin ! conclut Cathy d'une voix triomphale.

C'était là son idée géniale.

– Ce serait une sorte de halte où Rosa et sa famille pourraient se reposer ! continua-t-elle d'une voix excitée. Oh, s'il vous plaît, dites que vous acceptez ! Juste pour les aider, jusqu'à ce qu'ils soient assez forts pour retrouver leur liberté !

Elle imaginait déjà des cages spéciales pour eux, des zones frontières, des haltes-repas ainsi que des lieux d'observation.

Le Dr McKay commença par froncer les sourcils, puis son visage s'éclaira.

– Une sorte d'auberge pour hérissons, en somme ! dit-il en souriant.

L'idée l'amusait. De son côté, Claire lui pressa la main en s'écriant : « Papa, s'il te plaît ! »

Cathy savait tout ce que cela représenterait pour Claire et elle. Elles devraient s'occuper ensemble de rendre leur liberté aux bébés hérissons.

A nouveau, elle se tourna vers le docteur.

– Nous l'appellerons Le Refuge de Rosa ! s'écria-t-elle, enthousiaste.

Puis son regard se porta sur la femelle hérisson et ses adorables petits.

– Oh oui ! Mettons-nous tous ensemble pour leur rendre la liberté ! conclut-elle.

6

– Tu te rends compte que nous avons moins d'une semaine pour organiser ce refuge ! dit Cathy. Simon dit que nous devrons les relâcher dans la nature dès qu'ils seront prêts à hiberner et les nuits sont déjà drôlement froides !

James et elle venaient juste de passer chez McFarlane pour demander de leur céder de vieux invendus qu'ils pourraient utiliser pour garnir leurs boîtes à hérissons. James était aussi enthousiaste que Cathy à l'idée du refuge. Il regrettait simplement qu'on ne l'installe pas dans son jardin.

Cathy ralentit et arrêta sa bicyclette sur le bord de la route. Elle pensa soudain qu'ils avaient choisi le jardin de Claire sans en parler à James. Celui-ci devait se sentir mis à l'écart.

– Tu sais, si nous n'avons pas choisi ton jardin pour les hérissons, c'est à cause de Blackie.

James haussa les épaules. Il avait les cheveux tout humides de bruine et il fit un effort pour paraître plus gai.

– De toute façon, mon père et moi avons placé davantage de grillage métallique le long de la haie, de sorte que Rosa et les autres hérissons ne pourront plus passer par en dessous et Blackie ne pourra plus les ennuyer à nouveau !

– Mais ce n'était pas de la faute de Blackie ! protesta Cathy.

– Et je me creuse les méninges pour voir si je peux faire autre chose ! poursuivit James.

Il reprit sa bicyclette d'un air décidé.

– Allons, viens ! Je croyais que tu voulais arriver chez Ernie avant l'heure du thé !

Ils pédalèrent plus vite et arrivèrent bientôt en vue du cottage où vivait Ernie. Cathy savait que, bien qu'il soit maintenant à la retraite, il était le meilleur charpentier du village. C'est lui qui avait construit la barrière pour les chèvres de Lydia à High Cross et elle était très réussie ! A présent, James et elle se préparaient à lui demander une nouvelle faveur.

Comme ils se trouvaient dans la cuisine du cottage, James tira de sa poche un morceau de papier et l'étala sur la table.

– J'ai fait un dessin grossier du genre de nid en bois dont nous aurions besoin pour les hérissons, dit-il à Ernie.

Cathy fit un signe d'approbation.

– C'est super, Ernie, tu ne trouves pas ?

James était vraiment génial pour les proportions et le dessin.

– Nous pensons tous les deux que cela devrait convenir, dit James à Ernie. Regarde, il faudrait qu'il y ait une galerie qui s'ouvre par une porte que l'on pourrait lever...

– La petite galerie de l'entrée sert à les protéger des blaireaux, tu comprends ? expliqua Cathy. Les hérissons pourraient même hiberner à l'intérieur si tu places un tuyau de ventilation au-dessus !

Elle lui montra plusieurs endroits qui conviendraient sur le dessin de James.

– Du calme, petite !

Ernie se mit à rire et prit ses lunettes dans la poche de sa chemise. Puis il étudia le plan de James.

– C'est calculé en millimètres ! s'exclama-t-il. Parlez-moi en centimètres et je pourrais peut-être faire quelque chose pour vous !

– Est-ce que ça veut dire que tu acceptes ?

demanda Cathy. James dit que son père a du bois en réserve dans son garage et que nous pouvons nous en servir pour fabriquer les nids de hérissons. Nous aurions besoin de cinq ou six nids, ajouta-t-elle rapidement d'un air embarrassé.

– Cinq ou six ! s'exclama Ernie.

Il recula, les poings sur les hanches et poussa un soupir.

– Et je suppose que vous les voulez tous finis pour hier ! grommela-t-il.

– Pour la fin de la semaine, dit James. Tu crois que c'est faisable ?

Derrière son dos, Cathy gardait les doigts croisés, en priant pour qu'il accepte leur proposition.

– Bien sûr, si tu ne peux pas, nous comprendrons ! lui dit-elle.

Ernie fit entendre une sorte de bruit bizarre, un raclement de la gorge entre le rire et la toux.

– Voire ! Vous m'avez déjà eu la dernière fois !

Cathy fit semblant d'être offensée.

– Oh, Ernie ! Je ne t'ai jamais menti !

Mais elle savait que si elle voulait obtenir quelque chose d'Ernie, il lui fallait prétendre le contraire. Tel était le caractère du vieil homme.

– Enfin, si c'est trop d'ennui pour toi...

Elle reprit le plan de James et commença lentement à le replier.

– Donne-moi ça ! dit soudain Ernie en grimaçant un sourire.

Et il se remit à étudier le plan.

– Aucun problème, dit-il enfin. Je vous en ferai six d'ici la fin de la semaine.

Il mit le plan dans sa poche et se frappa légèrement la cuisse comme pour s'assurer qu'il était bien là. Cathy ne put s'empêcher de bondir de joie.

– Oh, merci Ernie !

Elle se tourna vers James.

– Viens, nous n'avons plus de temps à perdre. Il nous reste encore des tas de choses à faire !

James sourit.

Il insista pour dire bonjour avant de partir à Sammy, l'écureuil apprivoisé d'Ernie, et à Timioche, le chat qui se prélassait sur le sofa fleuri du salon d'Ernie. Puis ils prirent congé du charpentier. Sur le seuil de sa porte, celui-ci, en bras de chemise, leur posa une dernière question. Il était curieux de savoir.

– Et avez-vous choisi un nom pour cette auberge de hérissons ?

– Ce sera Le Refuge de Rosa, lui dit Cathy.

Ernie fit entendre une sorte de grognement satisfait et tourna les talons pour se mettre à l'ouvrage sans tarder.

– C'est super ! dit James. Je suis vraiment heureux de vivre à Welford avec des gens comme Ernie sur qui on peut compter !

– Et moi je suis contente de voir que tu as l'air de meilleure humeur ! lui dit Cathy.

Ernie avait approuvé le plan de James et maintenant celui-ci participait vraiment – comme Claire – au projet du Refuge de Rosa !

Comme ils pédalaient à la sortie du village, le jour commençait à tomber et le ciel se teintait d'orangé. Dans la lumière du crépuscule, les haies n'étaient plus que des silhouettes. James en profita pour exposer à Cathy sa nouvelle idée à propos des hérissons.

– Tu sais, lui dit-il, j'ai réfléchi au problème dont tu m'as parlé au sujet de la route.

Cathy continuait à pédaler. Elle aimait la paix qui se dégageait du paysage et le sentiment que de petites bêtes poursuivaient tranquillement leurs vies dans la profondeur des fossés et dans les haies tandis que les hommes s'activaient au-dessus d'elles.

– C'est sûr que nous ne pouvons pas creuser un tunnel sous la route pour les hérissons, reprit James. Et je ne crois pas que nous pourrions les entraîner à passer sur un pont ! J'ai bien peur qu'ils ne doivent continuer à emprunter le même chemin ! Mais ce que nous pouvons faire, c'est obliger les voitures à ralentir !

– Mais comment ?

Cathy pouvait dire quand James avait une idée en tête et qu'il ne voulait pas en démordre : son visage se contractait et il commençait à bafouiller.

– Nous allons fabriquer un signal, reprit-il. « Attention, hérissons ! » Tu sais, comme « Attention, enfants ! » Cela pourrait être des vaches, des canards ou n'importe quoi !

– « Attention, hérissons ! » répéta Cathy, intriguée. Tu veux dire un triangle rouge avec un dessin de hérisson dessus ? Tu penses que les chauffeurs y prêteront attention ?

– Naturellement ! dit James. Si c'est un signal clair et bien dessiné, avec une pancarte disant « Ralentissez ! Attention, hérissons ! » Oui, ça marchera !

Cathy sourit.

– Je crois que tu as raison ! dit-elle. Alors, il faudra aussi dessiner un signal !

– Bien entendu !

Cathy pédala dans la côte suivante avec un regain d'énergie. Des nids en bois construits tout spécialement pour les hérissons, et à présent un signal ! Rien n'était trop beau pour Rosa et ses petits !

– Allons avertir Claire ! dit-elle.

Elle s'arrêta au sommet de la colline, puis se laissa descendre en roue libre. Les choses arrivaient vraiment très vite quand on s'engageait à sauver la vie des animaux. La vie vous poussait dans le courant et l'on n'avait plus qu'à se laisser aller !

Le Dr McKay rentra chez lui pâle et fatigué. Il avait beaucoup travaillé. Mais quand il vit Claire aider Cathy et James à dessiner une pancarte pour les hérissons sur la table de sa cuisine, il avança une chaise pour les regarder.

– Sommes-nous bientôt prêts pour le grand jour ? Est-ce que le Refuge de Rosa prend forme ? demanda-t-il.

Tous trois acquiescèrent sans lever le nez de leur ouvrage.

– Et combien de temps ces hérissons vont-ils rester dans votre refuge ? Je veux dire combien de temps cela prendra-t-il jusqu'à ce qu'ils se débrouillent par eux-mêmes ?

Ce fut Cathy qui répondit.

– Simon dit qu'il leur faudra à peu près trois jours pour s'installer dans leurs nids. Puis on leur ouvrira les portes et ils pourront partir où bon leur semble !

Comme elle se représentait Rosa et ses petits s'évanouissant dans la nuit, le ton de sa voix baissa d'autant.

– Mais nous laisserons les nids dehors, au cas où ils voudraient revenir, ajouta-t-elle.

– Et ils reviendront, n'est-ce-pas ? demanda Claire d'une voix anxieuse.

– Oh, bien sûr ! dit Cathy.

Mais son ton de voix était plus confiant qu'elle ne l'était elle-même.

– Tant mieux ! dit Claire.

Elle se concentrait sur son dessin de hérisson.

– Je n'aurais pas voulu qu'ils ne reviennent jamais ! ajouta-t-elle.

Le Dr McKay les observa un moment.

– Vous allez sûrement programmer des haltes-repas ? dit-il. Enfin, je veux dire des endroits où vous pourrez déposer de la nourriture sans qu'elle risque d'être chapardée par n'importe quel jeune chat effronté !

Et il leva un sourcil interrogateur en direction de James. Il avait visiblement entendu parler de la réputation d'Eric.

– Et, à propos, ne vous en faites pas pour le coût de la nourriture. Je vous donnerai un peu d'argent. Ce sera ma participation.

– Merci, docteur McKay ! dit James.

Et il fit un sourire complice à Cathy et à Claire.

– Voilà ce que je vous propose, reprit le docteur. Mon idée est de placer une assiette de nourriture au centre d'un rouleau de treillis avec une ouverture au sommet. Ce sera comme un labyrinthe : il faudra suivre le chemin jusqu'au centre. Ce sera trop petit pour les chats, mais les petits hérissons ont le chic pour se glisser dans les endroits les plus étroits, n'est ce pas ? Qu'en pensez-vous ?

Il leur fit un croquis rapide.

– C'est super ! murmura Cathy.

– Eh bien, c'est juste ce que j'avais pensé faire pour Gavroche. Il me suffira d'en faire quelques autres ! dit-il en souriant à sa fille.

Claire lui rendit son sourire.

– Aimes-tu mon dessin ? lui demanda-t-elle.

C'était un grand dessin noir et blanc qui représentait un hérisson, tous piquants dehors, des pattes au museau. De son côté, James avait dessiné un triangle rouge avec les mots, « Ralentir ! Attention, hérissons ! » qui devait venir se placer sous le dessin.

Le Dr McKay eut un geste affectueux.

– Il est superbe ! dit-il.

– Je pense que nous allons être prêts ! dit Cathy. Je n'arrive pas à le croire !

Chaque heure qui passait lui semblait ajouter à la sécurité de Rosa et de ses petits.

Mais juste devant la porte, à l'endroit même où Rosa avait eu son accident, Cathy eut un rappel pénible de l'importance du projet qu'ils étaient en train de mettre en place.

Il faisait déjà nuit et M. Hope venait d'arriver pour la ramener à la maison. Elle dit au revoir à ses amis et rangea sa bicyclette à l'arrière de la Landrover. Puis elle monta dans la voiture. Elle se sentait fatiguée mais contente. Ils avaient travaillé dur tout l'après-midi au Refuge de Rosa ! Son père lui fit un sourire d'encouragement et alluma les phares. Cathy fit un geste d'au revoir à James et à Claire, puis elle se retourna face à la route et s'enfonça dans le siège confortable de la voiture.

Tout à coup, elle se jeta en avant, puis défit sa ceinture de sécurité.

– Oh, non ! s'écria-t-elle. Papa, regarde !

Là, sur la route, à une dizaine de mètres devant eux, avançant au rythme d'un escargot en soufflant et en furetant au milieu des flaques de boue, se trouvait un autre petit hérisson !

Cathy se glissa rapidement hors de son siège et sauta sur l'herbe du bas-côté.

– Attention à la circulation ! lui dit M. Hope.

Et il descendit à son tour. En s'avançant vers le hérisson, Cathy comprit pourquoi beaucoup d'entre eux se faisaient écraser. Celui-ci ne s'était pas poussé de côté devant les phares aveuglants du véhicule. Non, ce stupide animal s'était simplement arrêté, immobile, en s'enroulant en plein milieu de la route. Ce qui en faisait une cible facile pour les automobilistes !

– C'est exactement ce qu'il ne faut pas faire ! lui dit Cathy.

Mais comment le lui faire comprendre ? Elle tendit l'oreille. Heureusement, aucun véhicule n'arrivait.

– Donne-moi ta veste, Papa, lui dit-elle vivement.

M. Hope jeta un coup d'œil de regret à sa plus belle veste de cuir. Puis il regarda le hérisson en boule, immobile comme une statue en plein milieu de la route.

– Ah non ! dit-il, pour répondre à la demande de Cathy. Et il fit le geste de remonter sa fermeture Éclair.

Mais Cathy insista.

– La tienne est en cuir véritable ! Enlève-la vite, Papa, s'il te plaît ! Une voiture peut arriver !

Elle n'avait pas de gants pour protéger ses mains, aussi attendit-elle que son père enlève sa veste. Elle la prit enfin et l'enroula autour de ses mains. Puis elle saisit doucement le hérisson et, celui-ci bien à l'abri dans la veste de cuir, elle revint vers Claire et James.

– Nous allons le mettre dans le jardin avec une assiette de nourriture, dit-elle. Il y sera en sûreté.

– C'est une chance que ce soit toi qui sois passée sur la route, lui dit James, un peu plus tard.

Il alla remplir l'assiette, et bientôt le hérisson mangeait avec plaisir ce repas inattendu.

– Et un hérisson sauvé de plus ! murmura James.

– Un accident de plus évité ! soupira Cathy. J'espère que ta pancarte va marcher !

Son père et elle reprirent leur route vers la maison. Cathy avait beau faire tout son possible, la vie des hérissons était encore pleine de dangers !

Sur le chemin du retour, elle resta plongée dans ses pensées. Demain, ce serait le grand jour. Les nids en bois d'Ernie devaient être prêts et ils pourraient installer sur la route le signal de Claire et de James. Scout, Rapidos, Tiquette et Crampon gagnaient chaque jour vingt à trente grammes. Rosa avait maintenant la patte dans le plâtre, mais elle se déplaçait si vite sur ses trois autres pattes qu'il n'y paraissait plus ! Plus rien ne s'opposait à l'inauguration du Refuge de Rosa.

Cathy se sentait à la fois heureuse et excitée.

Organiser une auberge pour hérissons n'était pas de tout repos ! Puis elle pensa à Claire qui devrait dire adieu aux bébés hérissons s'ils décidaient d'émigrer dans de nouveaux jardins, de nouveaux champs ou de nouvelles haies. Pauvre Claire ! Elle qui avait déjà dû dire adieu cette année à sa vieille maison et à ses amis écossais ! Mais peut-être que demain, ce serait différent, se dit Cathy. Peut-être que demain, quand tout cela deviendrait réel, toutes deux seraient vraiment contentes !

– Mais tu ne rentres jamais chez toi ! s'exclama M. Hope en voyant que Simon était encore là.

Celui-ci rangeait des instruments dans le bloc opératoire.

C'était le grand jour à l'heure du thé et Simon, assisté par Cathy, vérifiait une dernière fois si tout allait bien pour Scout et les jeunes hérissons.

– De temps en temps, il m'arrive d'y passer, répondit-il en souriant.

Il tendit à Cathy la courbe de poids de Scout.

– Quatre cent cinq grammes ! annonça-t-il d'un ton fier.

Cathy nota le poids et poussa un soupir.

– Ils sont prêts, on dirait !

– Ils le sont, approuva Simon.

– Cette nuit est la bonne ! dit M. Hope.

– Cette nuit est la bonne ! chanta le cacatoès au plumage d'un blanc maladif.

Il pencha la tête de côté et se mit à danser sur son perchoir.

– Tu m'as l'air d'aller mieux, toi ! commenta M. Hope.

Tous éclatèrent de rire. Cathy aida Simon à mettre Rosa et ses petits dans une cage spéciale à l'arrière de son fourgon. Elle avait donné rendez-vous à Claire et à James à six heures au Refuge de Rosa. C'était l'heure du crépuscule et la nuit commençait à tomber, froide et brumeuse. Les feuilles craquaient sous leurs pieds. « Tout va bien, calme-toi », murmura Cathy à Rosa. La maman hérisson avait levé la tête dans sa cage en sentant l'odeur familière des jardins. « Ne t'inquiète pas. Nous te ramenons chez toi ! »

La voix de Cathy sembla l'apaiser et elle recula pour s'installer à nouveau au milieu du tas de piquants de ses petits endormis.

– N'oublie pas que nous devons passer chez Ernie, dit-elle à Simon.

Celui-ci fit un signe affirmatif et mit le moteur en marche tandis qu'elle grimpait sur le siège.

– Bonne chance ! leur souhaita M. Hope.

Appuyé à la fenêtre de Cathy, il lui fit une de ses grimaces favorites.

– Merci, Papa !

Tout le long de la route cahoteuse, elle surveilla ses passagers en souhaitant que le fourgon de Simon ne soit ni si vieux ni si bringuebalant. En passant devant le « Fox and Goose », Simon s'arrêta. Cathy sauta du véhicule et se mit à courir le long de l'allée de cottages où habitait Ernie.

– Bonjour Walter ! cria-t-elle en passant.

Elle agita la main en direction de Walter Pickard, un voisin d'Ernie qui avait sa maison remplie de chats. Derrière le rectangle de sa fenêtre allumée, Walter lui rendit son salut.

Ernie guettait son arrivée sur le seuil de sa porte.

– Je commençais à me dire que vous vous étiez perdus ! grommela-t-il.

– Mais je t'avais dit à cinq heures et demie ! protesta Cathy.

– Ouais, et il est six heures moins vingt-cinq ! dit-il. Eh bien, qu'est-ce que tu en penses ?

Il lui tendit un des nids en bois.

Cathy regarda le nid qu'il avait fabriqué. Il était magnifique. Il avait environ la taille d'un téléviseur portable, avec un petit tunnel à l'entrée et un morceau de tuyau qui sortait du toit.

– Il est merveilleux ! lui dit-elle. Absolument merveilleux !

Avec Simon, ils l'aidèrent à transporter les six nids en bois à l'intérieur du fourgon. Aucun hérisson n'aurait pu souhaiter meilleur abri !

Comme ils transportaient le dernier nid, Ernie se tourna vers Cathy :

– Et je vous ai fabriqué un petit extra, dit-il.

Il restait sur le seuil de sa porte en souriant, les mains dans les poches.

– Qu'est-ce que c'est ? demanda-t-elle.

Ernie se pencha derrière la porte d'entrée et en sortit une pancarte de bois découpée en forme de maison. C'était une sorte d'enseigne avec deux chaînes courtes pendant de chaque côté pour l'accrocher. Ernie la balança devant le visage de Cathy. Des lettres étaient gravées sur sa surface en bois vernissé et se découpaient en relief, d'une couleur plus foncée : « Le Refuge de Rosa », pouvait-on lire. Et, en dessous, il avait gravé une rangée de cinq étoiles ! Cathy se mit à rire.

– Une auberge cinq étoiles pour hérissons ! s'exclama-t-elle, ravie. Nous la suspendrons à un arbre dans le jardin de Claire, comme cela, tout le monde pourra la voir !

Elle se sentait très fière en remontant dans la voiture et sa bonne humeur s'accentua.

De toute façon, lorsqu'ils arrivèrent devant la maison de Claire, avec les nids en bois, la pancarte et la famille de hérissons à l'arrière du fourgon, elle se rendit compte qu'il n'y avait plus aucun moyen de garder le secret sur « Le Refuge de Rosa ».

– Qui sont tous ces gens ? demanda-t-elle à Simon.

Dans le groupe qui les attendait, elle reconnut le Dr et Mme McKay, M. et Mme Hunter, James et Claire. Mais avec eux, il y avait des gens qu'elle voyait pour la première fois. L'un d'eux portait une caméra sur l'épaule.

– Ça, c'est une surprise ! dit Simon, l'air embarrassé. Ce sont seulement ceux à qui j'ai passé un coup de fil pour les inviter à l'inauguration !

Et ce fut tout ce qu'il put dire avant que tout le groupe se rue à leur rencontre. Il y avait de l'excitation dans l'air.

– Mais où sont les hérissons ? demanda quelqu'un.

– Est-ce qu'on pourrait faire une photo de Cathy, James et Claire ? dit l'homme à la caméra.

– Ce sont des journalistes ! lui murmura James, le visage rouge et brillant. Ils ont entendu parler du Refuge de Rosa et ils veulent faire un article dans le journal local !

– Oh, non ! murmura Cathy.

Elle s'activa dans le jardin. La pancarte

d'Ernie fut bientôt suspendue à une branche du hêtre. Puis James et Claire durent tenir à bout de bras leur signal au triangle rouge.

– Un peu plus près, c'est ça ! Tenez le signal plus haut, c'est bien ! Maintenant, souriez ! leur dit le photographe.

Ils sourirent et il prit la photo.

– Super ! Merci, dit-il.

– Tout est de ma faute, dit Simon à Cathy. J'ai pensé que vous méritiez d'avoir vos noms dans le journal à cette occasion !

Cathy avait déjà rougi en posant pour la caméra, mais l'interview n'était pas finie. Le photographe fit place à un inconnu qui l'assaillit de questions. Il voulait savoir comment elle et ses amis avaient secouru Rosa après son accident et comment ils avaient aidé la mère-hérisson à retrouver ses petits. Cathy lui expliqua comment l'idée du Refuge de Rosa était née dans son esprit.

– C'est l'endroit idéal pour se reposer, dit-elle, un lieu tranquille et sûr, à l'abri du danger, jusqu'à ce que les hérissons se sentent parfaitement à l'aise, prêts à reprendre leurs propres explorations et à bâtir leurs nids eux-mêmes.

Le reporter aux cheveux blonds commença à noter ses réponses.

– Prêts pour hiberner, vous voulez dire ? demanda-t-il.

– C'est ça. C'est maintenant le moment où ils doivent hiberner et nous voulons qu'ils retournent à leur mode de vie habituel de hérissons. Le Refuge est simplement une chance de plus que nous leur donnons pour les aider à retrouver leur liberté.

– Et pourquoi ce signal « Attention, hérissons » ? reprit le reporter, l'air vivement intéressé.

– Pouvez-vous noter cela aussi dans votre article ? dit Cathy. Ce serait très utile. Cette route est très fréquentée par les hérissons et nous voudrions que les voitures ralentissent et leur laissent le passage ! C'est l'idée de James Hunter ! Et celle du Refuge de Rosa revient à Claire McKay et à moi-même ! Nous sommes dans le jardin de Claire et nous n'aurions rien pu faire sans elle !

Le reporter continuait à écrire.

– Bien ! dit-il. Et maintenant, une dernière question.

– Oui, fit Cathy.

Elle était impatiente de passer à l'action et d'installer les nids en bois dans les recoins secrets du jardin de Claire.

– Eh bien ! Vous avez pris toute cette peine

pour sauver la vie des hérissons et nos lecteurs vous en seront reconnaissants. Mais comment savez-vous que cela marchera ? Comment pouvez-vous savoir si les hérissons survivront ou non ?

Cathy le laissa terminer sa question, puis répondit en baissant la voix :

– Nous ne le saurons probablement jamais.

– Dommage, dit le reporter. Cela aurait fait une fin parfaite à mon article !

Il referma son carnet et la remercia vivement, puis partit à la recherche du photographe.

– Regardez dans le journal de demain ! lui cria-t-il en partant.

Et, avec un signe de la main, tous deux remontèrent dans leur voiture et s'éloignèrent.

Alors tout le monde s'activa afin de trouver les meilleurs emplacements pour les nids en bois. On choisit des lieux ombragés et on les dissimula à l'aide de feuilles et de brindilles. Puis on installa les treillis du docteur en haltes-repas pour les hérissons. Tout cela prit du temps et le jardin ressemblait à une ruche bourdonnante. Claire repéra un endroit spécial pour placer le nid en bois réservé à Gavroche. Elle le choisit près de la cabane du jardin car elle pourrait ainsi surveiller ses allées et venues. Enfin, Cathy s'assura que tous les tunnels à l'entrée des nids étaient bien dégagés.

L'installation se poursuivit tard dans la nuit, grâce aux nombreuses tasses de thé distribuées par Mme McKay. La pelouse se trouvait sans cesse traversée par le rayon lumineux des torches, le crissement des bottes en caoutchouc et les appels de chacun. Enfin, le moment arriva d'aller chercher dans le fourgon Rosa, Scout, Crampon, Tiquette et Rapidos. Cathy souleva leur cage avec grand soin et les porta au-dehors.

Tous les assistants retinrent leur souffle quand Cathy, équipée d'une épaisse paire de gants, se baissa en direction de la cage. Elle choisit Crampon et le saisit en premier.

– Aujourd'hui, c'est vendredi, souffla-t-elle au petit hérisson. Si tu restes trois jours dans ton nid, nous t'ouvrirons la porte lundi et tu seras libre de partir où bon te semble !

Le hérisson répondit par une sorte de grognement. « Oui, il serait libre d'explorer à nouveau la piste des hérissons, se dit Cathy. A travers champs et jardins. A travers bois et haies. Et il redeviendrait un hérisson sauvage ! »

Crampon huma l'odeur du gant de cuir et tortilla son petit corps replet de droite à gauche.

Cathy se sentit fondre de tendresse, mais elle

ne pouvait oublier l'air apeuré de Claire ni chasser de son esprit la dernière question du reporter ! « Comment saurez-vous s'ils survivront ? » lui avait-il demandé. Et sa propre réponse : « Nous ne le saurons probablement jamais ! »

Elle aperçut Claire qui lui souriait courageusement. Mais elle avait un nœud dans la gorge tandis qu'elle se penchait vers le sol pour déposer Crampon. Elle lui montra le nid confortable qu'Ernie avait fabriqué à son intention. « Nous ne le saurons jamais. Nous ne le saurons probablement jamais ! » se répéta-t-elle.

7

Crampon, Rapidos, Tiquette, Scout et Rosa, tous pénétrèrent sans problème dans leurs nouveaux nids en bois au Refuge de Rosa. Claire fut ravie de transporter Gavroche et de l'installer au milieu d'eux.

– Tu peux dès maintenant laisser la porte de son nid ouverte, lui dit Simon, car nous savons qu'il est capable de fureter dans le jardin et de se débrouiller tout seul. Est-ce que tu le nourris suffisamment en prévision de l'hiver ?

Claire hocha la tête d'un signe affirmatif. Elle sourit d'un air ravi en déposant le hérisson aveugle dans son nouveau et confortable abri de bois.

– Viens me dire si c'est le bon emplacement pour notre signal ! lui cria James.

Il se débattait avec le grand triangle blanc bordé de rouge qui portait le dessin du hérisson fait par Claire. Il finit par le mettre sur son épaule et le posa contre un poteau de la barrière, à l'extérieur de son jardin.

Cathy arriva et recula de quelques mètres sur la route pour juger de l'effet.

– Super ! fit-elle. Tout le monde pourra le voir clairement !

Puis ils firent le tour du jardin pour s'assurer que Rosa et toute sa petite famille avaient suffisamment de nourriture et de confort à l'intérieur des nids. Un moment, Cathy s'arrêta devant l'un d'eux. Elle observait Tiquette, la plus fluette des hérissons, plonger au milieu d'un tas désordonné de feuilles et de journaux. Tiquette se tourna et se retourna plusieurs fois de suite sur le tas, se servant de ses épines comme d'un peigne pour lisser son nouveau nid. Elle eut tôt fait d'obtenir un nid à son goût, rond et parfaitement lisse !

– Regarde ce qu'elle a fait ! s'écria Cathy, impressionnée.

Ils firent tous un dernier tour au Refuge de Rosa. Ils installèrent les treillis qui servaient de haltes-repas en les soutenant par des piquets de tente et s'assurèrent que chacun était bien approvisionné en eau et en nourriture pour que n'importe quel hérisson du voisinage puisse venir s'y restaurer. Le Refuge de Rosa devait faire table ouverte pour tous les hérissons du coin !

– Tu es prête ? demanda Simon à Cathy.

Celle-ci regarda Claire et, à regret, lui fit un signe d'adieu.

– Alors, allons-y ! Et à demain ! dit Simon en soufflant sur ses doigts pour les réchauffer. Viens, Cathy, en route !

– Ne t'en fais pas ! dit Cathy à Claire. Tout se déroule selon notre plan.

Elle regarda autour d'elle. Les nids étaient bien cachés et les hérissons en sûreté à l'intérieur. L'enseigne, « Le Refuge de Rosa » se balançait doucement dans la brise. Tout était en ordre.

Cathy lui fit un dernier signe d'au revoir et grimpa dans le fourgon. Elle avait l'air préoccupée. Simon démarra.

– Le signal « Attention, hérissons ! » est parfait, dit-il. On ne peut pas le manquer. Espérons qu'il fera de l'effet !

Cathy, sans répondre, se contenta de hocher la tête. Simon prit la direction de Welford.

– Est-ce que tu veux bien me dire ce qui vous inquiète, Claire et toi ? demanda-t-il.

Ils passaient devant le « Fox and Goose » et Cathy regarda la scène joyeuse qui se déroulait à l'intérieur. Les gens chantaient, buvaient et avaient l'air de s'amuser. Cela parut l'affecter encore davantage. Puis elle jeta un coup d'œil au visage fin et sérieux de Simon. Ses lunettes brillaient sous le reflet des lampadaires. Peut-être qu'il comprendrait pourquoi Claire et elle se sentaient si tristes.

– Je sais que Le Refuge de Rosa est une grande réussite, soupira-t-elle, et tout le monde a vraiment travaillé dur pour cela...

– Mais ? l'interrompit Simon.

Il mit son clignotant et tourna pour s'engager dans la côte qui montait vers la maison de Cathy.

– Mais Claire et moi, nous ressentons la même chose. Nous voudrions que les hérissons restent au Refuge de Rosa. Autrement, nous ne saurons pas ce qui leur est arrivé, finit-elle par avouer. Je pourrais supporter de les laisser partir, mais je ne peux pas supporter de ne pas savoir s'ils sont morts ou vivants !

Ses lèvres tremblaient.

Simon lui fit signe qu'il comprenait. Il tourna le volant en direction de l'Arche des Animaux.

– Je sais bien, reprit-elle d'une voix misérable, tu vas me dire qu'il n'y a rien à faire et que c'est un fait qu'il faut accepter. Il n'y a aucun moyen de garder la trace des hérissons une fois qu'on leur a rendu la liberté !

Elle cacha son menton dans son écharpe de laine et tourna la tête pour cacher ses larmes.

Mais elle se trompait.

– Garder leur trace ? répéta Simon lentement. C'est cela qui vous ennuie ?

– Oui. Claire dit qu'elle fait des cauchemars de renards, de voitures et de blaireaux et…

La liste était longue de tous les dangers qui pouvaient fondre sur Scout et les autres hérissons.

– Je vois ! dit Simon.

Il ralentit et s'arrêta devant la porte du jardin de L'Arche.

– Garder leur trace, répéta-t-il lentement.

Il avait l'air de réfléchir. Il attendit que Cathy descende du fourgon et la regarda mettre la clé dans la porte d'entrée. Il vit passer Mme Hope dans le vestibule.

– Cathy ! appela-t-il.

– Oui ?

Elle revint vers lui, intriguée par son nouveau ton de voix.

– Écoute, je ne peux rien te promettre, mais j'ai une idée ! Je voudrais que tu passes demain chez moi, à l'heure du déjeuner, d'accord ?

– Pour quelle raison ? dit-elle.

– Je ne peux pas te répondre maintenant ! répondit-il.

Et il sourit d'un air de conspirateur. Puis il la quitta sans ajouter un mot.

– Comment s'est passée la grande inauguration, hier au soir ? demanda M. Hope.

Il bâillait sur son journal du matin.

Cathy se dépêchait d'avaler son jus d'orange.

– Très bien !

Elle regarda sa montre. Le temps à passer jusqu'au déjeuner lui paraissait déjà long. Quel était le secret de Simon ? Il lui faudrait attendre cinq heures de plus pour le savoir.

– Ta mère m'a dit que tu allais être célèbre, dit son père en riant. Le Refuge de Rosa va être dans le journal !

Cathy fit la grimace.

– Tout cela est de la faute de Simon ! C'est lui qui a invité tous ces gens de Walton !

– Il est très fier de ce que toi, Claire et James avez fait pour ces hérissons ! ajouta M. Hope.

Cathy ne put s'empêcher de rougir de plaisir.

– Hmm ! Oui, ils disent que ce sera bientôt dans le journal. A présent il faut que j'aille voir si tout va bien pour Rosa et compagnie ! dit-elle.

Elle se leva et attrapa sa veste au passage.

– Et puis je dois passer voir Simon, ajouta-t-elle.

Comme d'habitude, elle était déjà à la porte avant d'avoir fini sa phrase.

Dans l'éclat de la lumière matinale, tout semblait calme au Refuge de Rosa. Cathy appela James et Claire et tous trois se frayèrent un chemin dans les tas de feuilles mortes pour voir ce qui restait de la nourriture dans les haltes-repas. Puis ils firent le tour des six nids en bois pour être sûrs que leurs pensionnaires n'avaient pas été troublés. Tout semblait en ordre.

Mais Cathy sentit tout à coup Claire la saisir par la manche et lui murmurer quelque chose à voix basse, d'une voix inquiète.

– Cathy, est-ce que tu crois que les hérissons reviendront au jardin ? Je veux dire, crois-tu que Gavroche reviendra tous les jours, de même que Rosa et ses bébés ?

– Nous ne pouvons pas en être sûres, répondit Cathy. L'important c'est que nous fassions de notre mieux pour qu'ils soient en sûreté lorsqu'ils seront à nouveau en liberté. C'est la raison pour laquelle nous avons organisé Le Refuge de Rosa, ne l'oublie pas !

– Mais je ne veux pas qu'ils s'en aillent ! dit Claire d'une voix plaintive.

– Personne ne le veut ! dit James tranquillement.

Cathy se tourna vers Claire.

– Je crois que Simon a une idée qui peut nous aider, lui dit-elle. Mais il faut que nous attendions l'heure du déjeuner pour qu'il me dise de quoi il s'agit.

Claire leva la tête et lui lança un regard plein d'espoir. C'était comme si Cathy avait pu résoudre, à elle seule, tous les problèmes de la terre !

Cathy aurait bien voulu que ce soit vrai ! James et elle passèrent le reste de la matinée à sortir Blackie et l'emmenèrent faire une longue promenade dans les bois, derrière la maison de James. Ils regardèrent le labrador partir entre les arbres à la recherche d'un bâton. Blackie dévalait la pente à toute allure pour le leur ramener et revenait, ravi et à bout de souffle, avec le bâton entre les dents. Du moins, cela leur permit d'oublier pour quelque temps le secret de Simon.

– Brave garçon, Blackie, tu es un brave garçon ! lui dit James.

Cathy caressa le dos du labrador, heureuse de voir qu'il s'était complètement remis de sa rencontre avec le hérisson.

– C'est l'heure de rentrer ! dit James.

Ils ramenèrent Blackie à la maison, puis Cathy

prit congé de James et pédala jusqu'à Walton. C'était presque l'heure du déjeuner !

Elle gara sa bicyclette contre le mur en pierre de la maison de Simon. Il habitait un appartement au rez-de-chaussée d'une grande et vieille maison, dans une pièce jonchée de tasses vides, d'anciens numéros de La Vie Sauvage et de toute une collection d'instruments à percussion. Elle frappa à la grande porte verte et attendit. Simon lui ouvrit et feignit d'être étonné.

– Cathy ! Je croyais que tu avais oublié.

– Comme si... !

Cathy entra dans la pièce, comme toujours en désordre. Mais aujourd'hui, une jeune femme occupait le seul fauteuil délabré du lieu. Elle se leva quand Cathy entra.

– Cathy, je te présente Michelle Holmes. Tu te rappelles ? Je t'ai déjà parlé d'elle. C'est elle qui est spécialiste des hérissons !

– Vous travaillez pour *La Vie Sauvage*, n'est-ce pas ? demanda Cathy.

Elle était ravie de rencontrer Michelle. C'était une petite femme brune aux cheveux courts. Elle était vêtue d'un pantalon noir sport et d'un épais sweater couleur cerise. Cathy se demanda ce qu'elle faisait là et si elle faisait partie du secret dont Simon désirait lui parler.

Michelle sourit à Cathy et prit sa tasse de café posée sur le manteau de la cheminée.

– Simon m'a tout raconté à propos du Refuge de Rosa et comment vous avez tout organisé ! C'est l'un des meilleurs projets dont j'ai entendu parler depuis longtemps !

Cathy hocha la tête et attendit. Elle sentait que son interlocutrice avait encore quelque chose à ajouter. Quant à Simon, il restait debout contre la cheminée et repoussait les cendres du bout du pied, l'air innocent.

– Simon m'a dit que vous aimeriez trouver un moyen de garder le contact avec vos hérissons, une fois que vous les aurez relâchés dans la nature ?

Le cœur de Cathy bondit dans sa poitrine.

– Oh, oui ! s'écria-t-elle. Mais comment pourriez-vous les suivre à la trace dans tous ces sombres petits chemins ? C'est déjà difficile de les voir dans l'obscurité, ne parlons pas de les reconnaître ! De toute façon, cela me paraît impossible ! conclut Cathy.

Michelle hocha la tête.

– Ce n'est pas facile, dit-elle. Mais j'y ai pensé pour notre programme. Il existe de minuscules transmetteurs-radio qui émettent un son particulier selon chaque animal. On fixe le transmetteur sur le renard, le blaireau ou le hérisson – enfin sur l'animal choisi – à l'aide d'une petite épingle stérile. C'est un peu comme si on vous perçait le bout de l'oreille, poursuivit-elle, rien de bien méchant. L'épingle contient un petit signal qui brille dans le noir. Et aussi un transmetteur radio que nous recevons sur ce récepteur mobile.

Michelle sortit de son sac à dos un téléphone portable et le plaça sur la table de Simon.

– On peut entendre le signal à un kilomètre de distance et il est de plus en plus fort à mesure qu'on se rapproche du transmetteur, tout juste ce qu'il nous faut pour les promenades nocturnes de vos petits protégés !

Cathy respira à pleins poumons.

– C'est une idée géniale ! dit-elle.

C'était trop beau pour y croire !

– Simon m'a donné un coup de fil hier au soir pour m'informer de votre idée de rendre les hérissons à leur milieu naturel, poursuivit Michelle. Il m'a parlé de votre intention de les suivre à la trace et, bien entendu, je lui ai répondu : « Inutile de chercher ailleurs, j'ai ce qu'il te faut ! »

Michelle s'arrêta et sourit.

– Me permettriez-vous d'essayer mes transmetteurs sur Rosa et sa petite famille pour un programme de *La Vie sauvage* ? demanda-t-elle.

Cathy ferma les yeux. Avait-elle bien entendu ? Tout cela était-il vrai ? Elle les ouvrit à nouveau.

– Quand ? murmura-t-elle.

– Quand voudriez-vous commencer ?

– Ce lundi ? proposa Cathy.

– Eh bien, lundi, c'est entendu ! conclut Michelle.

Après cette entrevue, Cathy eut l'impression de planer pendant tout le week-end. Elle débordait d'enthousiasme à la perspective du lundi. Elle téléphona à James et Claire pour leur annoncer la bonne nouvelle. Claire surtout se montra très excitée.

– Est-ce que cela veut dire que nous pourrons les suivre partout où ils iront ? demanda-t-elle.

– Oui, dit Cathy. Cela veut dire simplement que nous ne les perdrons pas après leur avoir rendu la liberté !

Il y eut un silence.

– Tu es super, Cathy ! Tu es vraiment l'amie la plus super qu'on puisse avoir !

Et elle raccrocha.

Cathy respira, soulagée. Elle se souvint de la Claire qu'elle avait connue à leur première rencontre, pâle et de mauvaise humeur, à l'écart et toujours sur la défensive. Elle avait changé maintenant, grâce à l'Opération hérisson !

Elle sortit et annonça la nouvelle à tous ceux qu'elle rencontrait.

– Nous allons suivre les hérissons à la trace ! dit-elle à ses grands-parents.

Ceux-ci étaient venus passer un moment le dimanche après-midi.

– Et nous serons capables de dire exactement où ils se trouvent grâce à notre transmetteur-radio ! reprit Cathy.

Son grand-père s'émerveilla des progrès de la technique.

– De mon temps, il n'existait rien de pareil ! s'exclama-t-il.

– Et quelle émotion de participer au programme de *La Vie sauvage* ! dit sa Mamy. J'aime beaucoup cette émission.

Cathy s'assit jambes croisées sur le sofa. Elle était parfaitement heureuse.

Un peu plus tard, au crépuscule, ce dimanche-là, elle se trouvait en compagnie de James et de Claire et ils faisaient leur ronde habituelle au Refuge de Rosa. Ils venaient de dire bonjour à Gavroche.

– Je voudrais qu'on soit déjà lundi ! soupira-t-elle. Nous pourrons suivre les hérissons à la trace tôt le matin et aussi le soir, à la tombée de la nuit.

Et cela jusqu'à être sûrs qu'ils soient tous en sûreté. Est-ce que vous pourrez venir, tous les deux ?

James fit un signe affirmatif.

– J'ai averti mon père et ma mère que c'était une expérience scientifique, dit-il d'un ton moqueur.

– C'en est bien une ! affirma Cathy. Et c'est la première de cette sorte !

Elle se sentait honorée d'avoir été choisie par Michelle.

Claire se contenta de les suivre, d'un air extasié. Mais quand Cathy dit qu'elle allait partir, elle l'attira sous le hêtre.

– Cela m'est égal maintenant, commença-t-elle courageusement.

Cathy sourit. Claire avait parfois une drôle de façon de parler pour une enfant de huit ans.

– Qu'est-ce qui t'est égal ? dit-elle.

– De les laisser partir ! répondit-elle. Maintenant que je sais où ils seront, cela m'est égal, je me sens tout à fait rassurée !

– Moi aussi, lui dit Cathy.

Et elle lui pressa le bras affectueusement.

– Nous devons vraiment les laisser partir, n'est-ce pas ? dit Claire vivement.

– Bien sûr.

Cathy réfléchit. Claire lui paraissait soudain plus mûre. Cathy et elle s'étaient mutuellement aidées à se détacher des hérissons en acceptant leur départ.

– Nous commencerons dès lundi ! lui dit-elle.

Claire fit un signe d'assentiment et monta lentement les marches de sa maison avant de disparaître.

L'après-midi du lundi arriva enfin. Simon avait donné rendez-vous à Michelle et tous deux arrivèrent au Refuge de Rosa à la nuit tombante.

Cathy les attendait.

– Choisissons Crampon et Rapidos pour le premier jour, dit-elle à James. Ce sont les plus vigoureux.

James saisit Rapidos tandis que Cathy se chargeait de Crampon. Claire arriva, enveloppée dans son anorak et son écharpe bleus, prête à les aider.

Michelle se dirigea vers eux à grandes enjambées et posa son sac sur la pelouse.

– J'ai apporté les transmetteurs, dit-elle. Alors, voilà les courageux explorateurs qui vont nous aider à mener à bien notre expérience ?

Cathy lui fit un signe affirmatif et lui désigna Crampon qui clignait des yeux en nasillant.

– Celui-ci, c'est Crampon, dit-elle en guise de présentation.

Elle observa attentivement Michelle qui prenait un transmetteur en métal de la taille d'un dé à coudre, auquel était attachée une minuscule antenne.

– Super, dit Michelle. Il a même une petite zone dénuée de piquants où je pourrais le lui poser !

Elle se mit au travail, perçant la peau du hérisson à la base de l'oreille pour mettre le transmetteur en place.

Crampon se trouva bientôt affublé du nouvel appareil détecteur de piste. Tranquillement assis dans la paume de Cathy, il semblait humer la fraîcheur de l'air du soir.

– Comme il est drôle ! gloussa Claire.

– Il est impatient, on dirait ! dit Simon en riant.

Michelle se hâta d'attacher un second transmetteur lumineux pourvu d'une antenne à la base de l'oreille de Rapidos. Les deux hérissons furent bientôt prêts.

– Tout va bien, dit Michelle.

Elle venait de vérifier le bon fonctionnement des deux transmetteurs sur son récepteur. Celui de Crampon émettait un bip long et sourd, tandis que celui de Rapidos était rapide et aigu.

– Ça marche, dit-elle à Cathy. Es-tu prête ?

Celle-ci prit une grande respiration.

– Prête ! répondit-elle.

– Nous allons d'abord suivre Crampon. Tu es d'accord ? demanda Michelle.

Cathy regarda Crampon. L'appareil du hérisson brillait d'une lumière verte dans l'obscurité et son transmetteur émettait une série de bips-bips ininterrompus sur le récepteur de Michelle.

– Bonne chance ! murmura Cathy au petit animal.

Et elle le déposa sur la pelouse.

– Nous allons tous croiser les doigts pour lui, lui dit Simon. Regarde, le voilà parti !

Ils tendirent l'oreille un moment et observèrent Crampon, facilement repérable avec sa petite lumière verte, se mettre en route et se risquer vers la haie la plus proche.

– Suis-moi ! dit Michelle à Cathy. Seulement toi et moi. Les autres, ne faites pas tant de bruit !

Mais James les arrêta et murmura quelques mots à l'oreille de Michelle.

– D'accord. Claire, tu viens aussi ! dit-elle.

Claire s'élança à la suite de Cathy et de Michelle.

Toutes trois suivirent l'insigne lumineux à une distance d'une trentaine de mètres environ.

Celui-ci zigzaguait de haie en buisson, disparaissait, puis surgissait à nouveau dans une autre haie. Il tourna autour du hêtre à l'arrière du Refuge de Rosa, puis se glissa sous une barrière en direction du bois voisin où Cathy et James avaient promené Blackie, le dimanche.

– Je ne le vois plus ! murmura Cathy.

Elle avait perdu le hérisson dans l'herbe haute du sous-bois.

– Moi non plus, mais j'entends clairement son signal ! dit Michelle. Écoutez !

En suivant les longs bips-bips là où le son augmentait, elle se rapprochait du hérisson. Elles finirent par apercevoir la petite lumière verte qui s'était immobilisée au milieu d'une clairière.

– Pourquoi s'est-il arrêté ? demanda Claire. Qu'est-ce qui ne va pas ?

Elle n'avait pas fini sa phrase qu'elle eut la réponse. Crampon venait de flairer quelque chose et s'était immédiatement mis en boule. Il avait senti un danger !

En effet, dans les buissons de laurier situés de l'autre côté de la haie, il avait perçu la forme menaçante d'un renard ! Celui-ci avait dû entendre le bruit que faisait Crampon en s'avançant dans les feuilles à la recherche de limaces et il se rapprochait pour voir de quoi il s'agissait !

Cathy s'accroupit dans les herbes hautes, le cœur battant. Elle avait peur. Est-ce que Crampon saurait se défendre, le moment venu ? Elle jeta un coup d'œil à Claire, puis fixa à nouveau la petite lumière verte et pria pour le bébé hérisson.

Le renard pencha la tête en direction de Crampon et le flaira. Puis il plongea à nouveau son museau vers le hérisson, mais sans toucher les piquants. Il avança simplement la patte, comme s'il voulait tapoter la boule de piquants.

Au même moment, Crampon se déroula, prêt à une fuite éperdue.

– Oh, non ! dit Claire. Enroule-toi à nouveau, vite !

Les mâchoires du renard se refermèrent à quelques millimètres des pattes arrière de Crampon. Aussi rapide que l'éclair, celui-ci s'était enroulé à nouveau et quand le renard fit une seconde tentative, son museau se heurta aux épines du hérisson qui étaient fortes et acérées.

Il hurla, puis gémissant de douleur et d'impuissance, il secoua la tête et s'éloigna. La clairière était à nouveau silencieuse. Crampon avait gagné la partie !

– Un renard l'emporte rarement sur un hérisson ! dit Michelle en souriant. Ce sont surtout les blaireaux dont ceux-ci doivent se méfier ! Et c'est bien naturel, car les blaireaux doivent chasser pour se nourrir, après tout !

Cathy respira, soulagée de voir que Crampon avait échappé au danger. Elle le vit fureter à nouveau joyeusement dans le sol pour trouver sa nourriture. Elle était contente et fière de lui pour avoir réussi ce premier voyage solitaire.

– Je crois que nous allons le laisser s'en tirer tout seul à présent, dit Michelle. Il n'y a qu'une seule chose qui puisse encore nous préoccuper à son sujet.

Elle s'arrêta de parler tandis qu'elles observaient Crampon s'éloigner dans le champ, avec sa petite lumière verte clignotante.

– Et qu'est-ce que c'est ? demanda Cathy.

– Eh bien, nous sommes maintenant à peu près sûres qu'il pourra survivre dans la nature, dit-elle, mais reviendra-t-il vers son nid du Refuge ou ira-t-il son chemin pour se construire un nouveau nid ?

Claire courut vers Michelle.

– Vous vous demandez si Crampon reviendra dans le jardin, n'est-ce pas ? Mais ne reviendra-t-il pas comme Gavroche, ce matin ?

Michelle haussa les épaules.

– Nous verrons bien. Pour l'instant, suivez-moi ! Nous essaierons de retrouver son signal plus tard, si nous avons le temps ! A présent, c'est au tour de Rapidos !

Elles prirent ensemble le chemin du retour à travers le bois sombre. La nuit était tombée.

Cathy et Claire regardaient par-dessus leur épaule toutes les cinq minutes pour apercevoir encore la petite lumière verte, mais elles l'avaient perdue de vue.

Crampon avait disparu.

– Oh ! fit Cathy, l'air désemparé.

Elle se sentait tout à fait comme Claire avait dû se sentir lorsqu'elle avait quitté l'Écosse. « Dire adieu est bien la chose la plus difficile qui soit au monde ! » pensa-t-elle.

8

Pour sa première nuit de liberté, Rapidos fit honneur à son nom. James le tint dans sa paume pendant que Michelle vérifiait son transmetteur radio. Claire lui dit un rapide au revoir puis James le déposa doucement sur la pelouse. Cathy vit le petit hérisson s'arrêter quelques secondes, puis foncer à toute allure, droit sous le hangar où le père de Claire gardait sa tondeuse ! Michelle le suivit – son récepteur de radio émettait une série de bips-bips rapides – et secoua la tête d'un air inquiet.

– Nous n'allons jamais réussir à le faire sortir de là !

Cathy se demandait pourquoi le hérisson avait foncé sans hésiter sous le hangar.

– Peut-être y a-t-il un vieux nid à hérissons là-dessous ! dit Michelle. Un nouveau nid que Rosa aurait construit pour ses petits.

Cathy se mit à quatre pattes pour essayer d'apercevoir la lumière verte de Rapidos. Mais elle perçut seulement les petits cris nasillards d'un jeune hérisson pleinement satisfait !

– Il doit y avoir des tas de vers et de limaces sous ce hangar ! leur dit-elle.

Claire s'accroupit à côté d'elle.

– Tu veux le faire sortir ? demanda-t-elle.

Cathy fit un signe affirmatif.

– Nous avons besoin de le suivre un peu plus longtemps si nous voulons voir s'il peut se débrouiller tout seul, lui dit-elle.

Claire partit comme une flèche et revint sur-le-champ avec l'assiette de Gavroche. Elle se mit à taper dessus avec sa fourchette en appelant le hérisson :

– Ici, Gavroche ! Allons, viens, Gavroche !

Et, comme par enchantement, le vieux hérisson grisonnant sortit en nasillant du bas de la haie la plus proche. Claire mit alors sur l'assiette un peu de nourriture – quelques cuillerées de Kitekat – et la posa sur l'herbe, près du hangar. Gavroche, son petit museau en l'air, la flaira goulûment, puis il se mit à manger de bel appétit.

– Il vient toujours quand je l'appelle ! dit Claire fièrement. Et je parie que ce sera pareil avec Rapidos !

Tous attendirent, les yeux fixés sur le hangar obscur. Et, en effet, le récepteur de Michelle se mit à émettre des bips-bips de plus en plus forts et la petite lumière verte parut, comme Rapidos se glissait sous le hangar.

– Le voilà ! murmura Cathy.

La lumière verte émergea à l'air libre. Ils aperçurent la forme minuscule et bombée du bébé hérisson. Lentement, il s'avança et flaira l'air de la nuit. Gavroche leva la tête de son assiette et prêta l'oreille. Il tourna sa tête aveugle, puis se glissa sur le côté, comme s'il faisait de la place à un hôte. Rapidos l'observait et semblait attendre. Puis, toujours fidèle à son nom, il fonça comme un bolide en direction de Gavroche et se mit à manger à ses côtés.

Le museau dans l'assiette, les deux nouveaux amis se gavaient bientôt à qui mieux mieux !

– Bien joué ! murmura Cathy à l'oreille de Claire.

Celle-ci se tourna vers elle, le regard brillant.

– Gavroche va s'occuper de lui ! promit-elle.

Une fois l'assiette vide, le vieux hérisson leva le museau et parut flairer l'air de la nuit. Il prêta l'oreille et se tourna vers Rapidos, puis il se mit à avancer dans la pelouse en direction de la route, suivi par le jeune hérisson. Arrivé au portail du jardin, il sembla prêter l'oreille à nouveau, pressant Rapidos sur le côté comme s'il voulait le faire ralentir.

– Regardez ! Il lui apprend à traverser la route ! murmura James.

Michelle sourit.

– C'est seulement un vieux hérisson expérimenté, voilà tout !

Ils regardèrent, fascinés, Gavroche et Rapidos qui traversaient et les virent arriver de l'autre côté de la route, sains et saufs. Michelle les suivait sur son récepteur, tandis qu'elle et Cathy se trouvaient près de la barrière, en face du Refuge de Rosa. Elles suivirent du regard la course légère des hérissons dans l'herbe haute.

– Je parie que cette herbe folle est pleine de limaces, confirma Michelle. Et avec Gavroche pour le conseiller, je suis sûre que la première nuit de liberté de Rapidos se passera bien !

– Rapidos peut servir de guide à Gavroche, dit Cathy. Il peut voir à sa place et ensemble, ils prendront soin l'un de l'autre !

Elle était contente que le deuxième bébé hérisson ait trouvé son chemin dans le monde. Et elle vit d'après le sourire de fierté de Claire, que celle-ci partageait les mêmes sentiments.

– Alors, c'est d'accord ? demanda Michelle en rangeant son attirail de radio. Vous serez tous prêts pour l'équipe du petit matin ? Nous devons être ici avant le lever du soleil.

Tous l'approuvèrent.

– Nous serons là ! C'est promis ! dirent-ils en chœur.

Cathy dormit à peine cette nuit-là. Le fait même de se déshabiller et de se mettre au lit lui était pénible. Toutes ses pensées étaient concentrées sur Crampon et Rapidos et quand, enfin, elle réussit à s'endormir, elle rêva de champs, de bois sombres et de nuits sans lune et glacées où se traînaient péniblement des hérissons.

Elle s'éveilla bien avant l'aube. Comment allaient Crampon et Rapidos ? Avaient-ils survécu à cette première nuit de liberté ? Allaient-ils retrouver le chemin de la maison ? Cathy n'arrêtait pas de se le demander.

Elle ne voulut pas prendre de petit déjeuner, mais Mme Hope finit par lui faire avaler une bouchée de toast avec quelques gorgées de thé. Elle veilla à ce que Cathy prenne son manteau, l'embrassa et lui souhaita bonne chance.

Cathy aimait le contact à la fois tiède et rêche de la robe de chambre de sa mère et la vue de ses longs cheveux roux tombant sur ses épaules.

– Merci, lui dit-elle en souriant.

– Est-ce que Simon doit venir ici te chercher ?

Mme Hope regardait par la fenêtre le ciel brumeux de l'aube.

Cathy acquiesça.

– Michelle et Simon doivent d'abord passer nous prendre avec James, puis nous partirons sur les traces de Crampon et de Rapidos. J'espère seulement que les hérissons seront de retour, dit-elle en soupirant.

Mme Hope regarda Cathy et mit un bras autour de ses épaules en lui souriant d'un air encourageant.

– Quoiqu'il arrive, dit-elle, tu fais de ton mieux pour ces jeunes hérissons. Et c'est tout ce qu'on peut te demander !

Simon fut bientôt là. Son regard était voilé et il avait l'air gelé. Michelle était assise à l'avant du fourgon, enveloppée d'une énorme veste de laine, avec un col montant à fermeture éclair.

– Bonjour ! leur dit Cathy.

Elle pensa que la vie d'une animatrice de radio ne devait pas être de tout repos ! Ils roulèrent en silence entre les haies enveloppées de brume matinale. Au loin, les collines étaient invisibles et, à part le camion de lait qu'ils croisèrent, le village était désert et silencieux.

Ils s'arrêtèrent devant la maison de James. Cathy descendit de voiture pour aller sonner à sa porte. James les attendait dans l'entrée et sortit à sa rencontre, l'air nerveux et impatient.

– Tu crois qu'ils sont rentrés ? lui demanda-t-il.

Cathy haussa les épaules.

– Je n'en sais rien ! Allons, dépêche-toi !

Claire, elle aussi, avait entendu le fourgon de Simon remonter l'allée et elle les attendait, assise sur la pelouse, enveloppée comme d'habitude dans son anorak bleu. L'enseigne du Refuge de Rosa à peine visible dans la lumière grise du petit matin, se mit à grincer. Michelle sortit son récepteur du fourgon et ils s'assirent tous ensemble, les uns contre les autres, pelotonnés dans le froid, sur l'herbe humide de rosée.

– Qu'est-ce qu'on fait maintenant ? demanda Claire.

– On attend, dit Simon. Que veux-tu faire d'autre ?

Un corbeau s'éleva d'un hêtre et s'abattit sur la pelouse en battant des ailes. La rosée du matin enveloppait les arbres d'un manteau humide.

Michelle mit en marche son récepteur et essaya de capter les bruits environnants. Elle tendait l'oreille, espérant entendre soit le bip-bip lent et régulier de Crampon, soit celui plus rapide et aigu de Rapidos.

– Aucun signal ? lui demanda Simon.

Lui aussi commençait à s'inquiéter. Le jour était presque levé. Crampon et Rapidos auraient dû être rentrés à cette heure.

Mais Michelle secoua la tête.

– Non, dit-elle d'une voix inquiète, ils ne sont pas encore rentrés, à moins que le signal ne soit bloqué par la lisière d'une haie ou par un mur trop haut. Cela arrive quelquefois.

Cathy sauta à pieds joints sur le sol glacé. Son souffle s'élevait en volutes humides. L'attente lui paraissait interminable. Elle parcourut toute la longueur de la pelouse et s'arrêta devant la maison de Claire. Celle-ci la suivait en silence. Ensemble, elles scrutèrent la route embrumée.

– Où es-tu, Crampon ? murmura Cathy. Et toi, Rapidos, où te caches-tu ?

Elle fixa longuement la route puis, soudain, comme en réponse à son appel inquiet, elle aperçut deux petites formes rondes ! Au premier abord, on aurait pu les prendre pour des pierres ou des mottes de terre, mais en regardant mieux, elle les vit progresser doucement côte à côte vers le milieu de la route et les reconnut. C'était deux hérissons. L'un d'eux, plus petit, portait un transmetteur radio et une antenne. Quant à l'autre, c'était le vieux hérisson aveugle.

– C'est Rapidos ! s'écria Claire. Et voilà Gavroche ! Oh, Cathy, ils sont revenus ! Ils sont rentrés à la maison !

Michelle et James arrivèrent en courant. Le récepteur se mit à réagir : bip ! bip !

– Je l'entends à nouveau, c'est bien lui ! leur confirma Michelle. Puis elle se mit à parler d'une voix précipitée mais assurée, dans un petit magnétophone noir.

– Le premier des hérissons à revenir au Refuge de Rosa est Rapidos. Il est sept heures quarante-cinq du matin. Rapidos a été relâché à vingt heures dix, la nuit dernière. Son retour avec Gavroche, le hérisson aveugle, est un succès pour l'équipe de secours de Welford !

Elle appuya sur le bouton du magnéto et se tourna vers Cathy d'un air ravi.

– Voilà de bonnes nouvelles !

– Regarde ! lui dit Cathy.

Elle observait Rapidos faire le tour de Gavroche, puis s'éloigner. Il se dirigea en bas de la pelouse, droit vers son nid en bois, s'arrêta à l'entrée du petit tunnel, le flaira à plusieurs reprises et disparut à l'intérieur. Cathy poussa un gros soupir de soulagement.

– Et voici, sur ses talons, le hérisson numéro deux ! s'écria Simon.

Il regardait par-dessus la haie, à l'arrière du jardin des McKay.

La brume se dissipa comme le jour se levait et le récepteur de Michelle fit entendre très distinctement le signal de Crampon. Celui-ci traversait lentement les plates-bandes pour rentrer chez lui.

Michelle se remit à parler dans le magnétophone, d'une voix à la fois calme et théâtrale.

– Et voici Crampon, le deuxième hérisson, qui rentre chez lui à sept heures quarante-neuf très exactement. Il semble en bonne forme et se dirige droit vers son nid. Les deux hérissons se portent bien et peu de doutes subsistent quant à leur capacité de survivre seuls dans leur milieu naturel !

Elle appuya sur la touche d'arrêt de l'appareil. Crampon avait dû retrouver son nid étanche et confortable et il devait déjà dormir profondément.

– Super ! s'exclama Cathy.

James fit un large sourire. Claire se mit à courir pour s'assurer que Gavroche était bien rentré et qu'il avait rejoint les autres hérissons.

– Rapidos est rentré lui aussi ! leur dit-elle. Gavroche l'a ramené à la maison !

Elle bondissait de joie.

– Cette nuit, c'est au tour de Tiquette et de Scout ! dit Cathy.

– Ne t'inquiète pas, je ne les ai pas oubliés, dit Michelle en riant. Je serai là !

Elle remonta la fermeture Éclair de son sac à dos.

– J'ai deux nouveaux transmetteurs avec deux nouveaux signaux pour eux ! ajouta-t-elle.

Elle se tourna vers Simon d'un air ravi.

– C'est formidable ! Tout juste ce que les auditeurs de *La Vie sauvage* souhaitent entendre !

Ils se dirent tous au revoir, et laissèrent Cathy, James et Claire se réunir à l'intérieur de la maison des McKay.

– Venez vous réchauffer ! leur dit Mme McKay d'une voix aimable.

Elle leur proposa d'entrer dans sa cuisine propre et bien rangée et de prendre un chocolat chaud avec quelques biscuits.

– Essuyez-vous les pieds tous les trois en entrant et servez-vous bien, leur dit-elle. Ensuite, il sera temps pour moi de vous conduire à l'école ! Vous n'avez pas oublié que vous avez classe ce matin, n'est-ce pas ?

– Non, mais j'aurais bien aimé que vous l'ayez oublié ! murmura James.

Tous éclatèrent de rire.

– Nous voulons faire une fête pour Crampon et Rapidos ! dit Claire. N'est-ce pas, Cathy ?

Cathy sourit et leva sa tasse de chocolat en signe de toast.

– Alors, buvons à leur santé et réjouissons-nous car ils sont tous deux rentrés sagement au Refuge !

Il y eut un silence, et Cathy regarda par la fenêtre, en direction du Refuge de Rosa. L'avertissement de James et de Claire avec le dessin de hérisson, haut et coloré, se détachait dans la lumière du matin et l'enseigne du Refuge de Rosa se balançait doucement dans la brise matinale.

– Mais au fait, dit-elle à voix basse et presque inaudible, je suppose que nous ne devrions pas souhaiter les voir rentrer à la maison mais bien plutôt qu'ils retrouvent leur liberté !

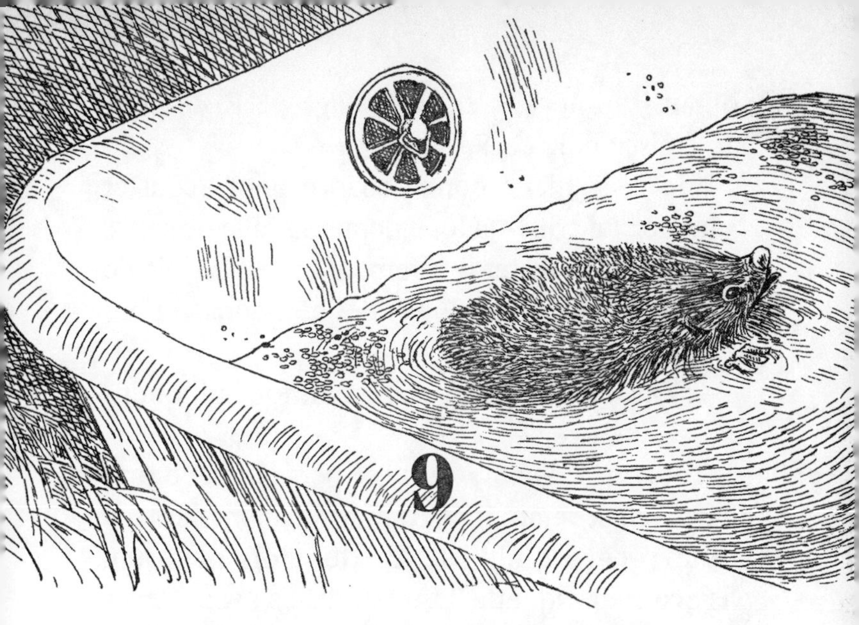

9

Ce jour-là, le matin brumeux fit place à un ciel parfaitement bleu. Cathy sentait monter du sol l'odeur de l'automne, une odeur mêlée de feuilles mortes et de terre mouillée, tandis qu'elle pédalait sur le chemin de la maison après l'école. La nuit prochaine était celle du 5 novembre – nuit de victoire que les enfants commémorent généralement dans toute la campagne anglaise en allumant des feux de joie – et elle aperçut, en effet, des groupes d'enfants qui rassemblaient les derniers branchages. D'habitude, elle se mêlait à eux. Mais ce soir, elle ne pouvait penser qu'aux hérissons.

Elle rentra chez elle et mangea rapidement son goûter. Elle devait retrouver Michelle qui voulait les interviewer au Refuge de Rosa pour son émission de *La Vie sauvage*.

– Je te souhaite bonne chance pour Scout et Tiquette ! lui cria M. Hope depuis la salle de soins.

– Merci ! Je resterai sûrement au feu de joie de Claire après m'être occupée des hérissons, répondit Cathy.

– D'accord, mais fais bien attention ! répondit-il.

Tout en pédalant, Cathy se persuada que tout allait bien. Crampon et Rapidos avaient survécu à leur première nuit de liberté, alors pourquoi pas Scout et Tiquette ? Le fait de les avoir élevés au Refuge ne semblait pas avoir ruiné leurs chances de pouvoir vivre à présent en liberté.

Pourtant, Tiquette était petite et maladroite, pensa-t-elle. Peut-être aurait-elle besoin d'un surcroît de protection ? Elle se dit de ne pas s'en faire inutilement. Simon et Michelle semblaient croire que Tiquette était assez forte pour survivre. Cette nuit deux autres bébés hérissons retrouveraient la liberté !

Quand elle arriva, Michelle avait déjà demandé à Mme McKay si l'interview pourrait avoir lieu dans sa cuisine, aussi Cathy rejoignit-elle James et Claire dans la jolie maison confortable.

– Ne sois pas intimidée par la présence du magnétophone, lui dit Michelle. Raconte-nous simplement comment tu as secouru Rosa, puis décidé d'organiser Le Refuge, d'accord ?

Elle installa la petite machine en direction de Cathy et pressa quelques boutons.

Cathy prit son élan.

– Eh bien, j'ai beaucoup de chance que mon père et ma mère soient tous deux vétérinaires à l'Arche des Animaux, commença-t-elle, car j'ai su immédiatement que nous pourrions soigner la patte cassée de Rosa. Mais je m'inquiétais surtout pour ses petits !

Toute l'histoire des hérissons lui revint en mémoire tandis qu'elle évoquait chaque épisode de leur dramatique aventure.

Michelle écoutait Cathy avec une grande attention et elle ne l'interrompit que rarement. Ses boucles d'oreille en argent se balançaient tandis qu'elle l'approuvait de la tête et l'encourageait à retracer les différents moments de son aventure.

– Et lorsque tu as décidé de nourrir ces jeunes hérissons, n'as-tu pas été tentée de les apprivoiser et d'en faire des animaux domestiques ? demanda-t-elle.

– Oui, bien sûr ! dit Cathy en lançant un regard

complice à Claire. Nous aurions vraiment aimé les garder ! Ce sont de gentils animaux et les gens croient généralement qu'ils pourraient les apprivoiser. On peut les nourrir, et ils répondent même quand on les appelle, dit-elle.

– Mais ?

– Mais ce sont des animaux sauvages ! dit Cathy d'une voix ferme. Ils ont leurs propres nids et ils aiment vagabonder. On ne doit pas essayer de les mettre en cage.

Elle vit Claire hocher la tête en signe d'approbation. Elle buvait littéralement ses paroles.

– Et que peut-il se passer si on le fait malgré tout ? demanda Michelle.

Elle poussa le magnétophone pour le rapprocher de Cathy.

– Ils luttent pour se sauver et ils meurent généralement jeunes !

– Donc l'idée qui est à l'origine du Refuge de Rosa, dit Michelle, c'est d'aider toute une famille de hérissons à retourner vivre dans la nature, reprit Michelle.

Elle se tourna à son tour vers le magnétophone pour s'adresser aux auditeurs.

– Le Refuge de hérissons organisé par Cathy Hope est donc pour nous une expérience unique en son genre. Comme nous l'avons entendu la nuit dernière, deux des jeunes hérissons ont été relâchés et ont survécu. Cette nuit, ce sera au tour des deux autres bébés, qui ont été élevés en partie en captivité, d'être relâchés !

Michelle appuya sur le bouton d'arrêt.

– Bien joué, tu as été formidable ! dit-elle à Cathy. Tu n'avais pas du tout l'air nerveuse.

– C'est parce que je m'inquiète pour Scout et Tiquette, confessa Cathy.

Elle se leva, impatiente de commencer le nouveau jeu de piste.

– D'accord, je te suis ! Allons-y ! dit Michelle en rangeant son équipement.

Arrivés au Refuge de Rosa avec Simon, Claire et James, Cathy et Michelle préparèrent les hérissons pour leur grande sortie.

– Il nous faut les relâcher avant d'allumer le feu de joie, dit Michelle. De cette façon, ils seront déjà à l'abri, en sûreté dans les champs ou dans le bois. Nous les suivrons à la trace pendant une heure environ, comme nous l'avons fait pour les deux autres. Puis, ce sera à eux de se débrouiller. Et nous reviendrons au petit matin pour voir s'ils sont rentrés, d'accord ?

Tous l'approuvèrent.

Cathy était nerveuse. Elle se sentit particulièrement inquiète quand elle souleva Tiquette dont la petite lumière verte brillait maintenant dans l'obscurité.

– Tu es prête ? demanda Michelle.

Elle augmenta le volume de son récepteur. Le signal de Tiquette était un rapide bip-bip, suivi d'une pause, puis d'un nouveau bip.

– Prête ! répondit Cathy.

Elle abaissa Tiquette au niveau de Claire afin que celle-ci puisse lui dire au revoir. Puis elle la déposa sur l'herbe. Le petit hérisson leva ses deux pattes avant, l'une après l'autre, comme s'il était surpris par le contact de la terre froide et humide. Mais très vite, il abaissa son museau contre le sol et se mit à le flairer joyeusement.

« Bon voyage ! » murmura Cathy. La petite lumière verte se mit à progresser à travers le jardin, se dirigeant vers le lointain voisinage. Michelle la suivait avec sa radio. Puis James rejoignit Cathy et Claire, et le nouveau jeu de piste commença.

Tout en grognant et en mâchouillant de-ci delà, Tiquette chemina d'abord à travers quelques jardins. Tous commencèrent à respirer, soulagés. Peut-être qu'après tout elle s'en sortirait !

Quand elle atteignit la lisière des champs, ils se reculèrent, essayant encore de la voir dans le lointain.

La lumière verte zigzaguait doucement et le signal, bip-bip une pause bip, leur parvenait encore distinctement. Puis, curieusement, la lumière s'éleva en l'air d'une trentaine de centimètres, s'agita un moment, et s'évanouit !

– Ce n'est pas grave, j'entends encore son signal ! dit Michelle.

– Allons-y ! s'écria Cathy.

Elle s'élança la première. Les autres traversèrent le champ en courant. Sous leurs pieds, le sol devenait de plus en plus humide. Les bottes de Cathy s'enfonçaient dans la terre meuble.

– Regardez, un abreuvoir !

Elle leur indiqua la forme d'une vieille baignoire en émail, à moitié enfoncée dans le sol et transformée pour les besoins du bétail en abreuvoir dans un coin du champ.

– Tiquette a dû tomber dedans ! leur cria-t-elle.

– Elle a dû se noyer ! s'écria Claire.

Michelle lui prit la main.

– Ne t'en fais pas, les hérissons savent nager !

James sortit sa torche et la braqua sur l'eau. Et la petite tête de Tiquette émergea, son museau à la surface. Sa lumière verte clignotait encore tandis qu'elle pataugeait, un peu comme un chien qui jouerait à faire le tour de l'abreuvoir !

– Elle ne peut plus sortir ! dit Claire, le souffle court.

« Bip-bip pause bip ! » fit le signal de Tiquette. Elle se mit à couiner, comme si elle appelait au secours.

– Si ça continue, elle va s'enfoncer ! dit Michelle.

Cathy enfila rapidement son gant de cuir et guida la petite imprudente vers un des bords lisses de l'abreuvoir. Puis elle passa sa main sous le ventre de Tiquette et la souleva hors de l'eau.

– Elle est épuisée ! dit Cathy. Ne t'avais-je pas dit d'éviter les accidents ? dit-elle au petit hérisson d'un air fâché. Et dorénavant, plus de bains de minuit !

Elle déposa Tiquette sur le sol et la regarda se secouer comme pour se sécher. Michelle et James se mirent à rire. Même Claire sourit. Et, à nouveau, Tiquette repartit en direction d'un fossé et disparut dans un épais enchevêtrement de ronces et d'orties. On ne voyait plus sa lumière, mais on continuait à entendre son « bip-bip » très distinctement. Ils poussèrent tous un soupir de soulagement.

– Et maintenant, au tour de Scout ! suggéra Michelle.

Cathy croisa les doigts en priant pour Tiquette et répéta :

– Oui, occupons-nous de Scout !

A vrai dire, elle se sentirait plus à l'aise avec lui. N'était-il pas le plus fort et le plus hardi des petits hérissons, l'explorateur de la portée !

Pourtant, elle sentit son cœur se serrer tandis qu'ils retournaient au Refuge de Rosa pour mettre en place le signal de Scout. Cette fois, il s'agissait d'un son long et ininterrompu. Le bébé hérisson avait lui aussi un drôle d'air avec sa petite antenne attachée au signal lumineux derrière son oreille et Cathy, James et Claire lui souhaitèrent bonne chance en le relâchant dans la nature. Scout leva son museau vers eux, sa petite tête penchée de côté. Voilà, il était parti !

Michelle suivit sa trace jusqu'au bout du jardin, accompagnée par Claire, James et Cathy. Ils arrivèrent au portail.

– J'entends le bruit d'une voiture ! murmura James.

Il était prêt à bondir si nécessaire. Ils retinrent leur souffle. Scout parut au bord de la route. Il avançait, ignorant les phares qui balayaient la route. La voiture se rapprocha, puis ralentit. L'écriteau « Attention, hérissons ! » se trouva pris dans le faisceau des phares. La voiture s'arrêta tandis que Scout se hâtait de traverser.

– Ça marche ! hurla James.

Il était fou de joie. Les autres l'applaudirent en riant.

A l'intérieur du véhicule, le chauffeur secoua la tête et leva son pouce en signe d'approbation. Puis il se remit prudemment en marche.

– Viens Cathy ! dit Michelle.

Elles traversèrent la route sur les traces de Scout.

– On dirait qu'il prend de la vitesse. Je crois qu'il a flairé une piste !

Cathy la suivit à travers champ vers un petit groupe de chênes. La lumière de Scout clignotait par intervalles, de loin en loin ! Et son long « bip » leur parvenait clairement. Tout allait bien !

Le bois de chênes était plein d'ombres et de bruits étranges, et Cathy ne fut pas surprise quand le signal lumineux de Scout disparut derrière un gros tronc d'arbre ou bien dans une épaisse broussaille. De vieux troncs entrelaçaient leurs branches et dessinaient des silhouettes bizarres dans le noir, et des branches dénudées pointaient vers le ciel comme des doigts accusateurs. Le signal de Scout s'affaiblit puis s'éteignit tout à fait.

– Où est-il allé ? murmura Cathy.

Michelle poussa quelques boutons sur son

récepteur, mais ne réussit pas à retrouver le signal.

– Probablement derrière une haie de buissons. Cela assourdit le son, tu t'en souviens ?

Elles le cherchèrent, grimpèrent sur des troncs d'arbres morts et pataugèrent dans des ruisseaux. Mais en vain. Nulle trace de Scout.

– Il est vraiment parti en explorateur ! finit par dire Michelle. Mais rappelle-toi Crampon, la nuit dernière, avec ses aventures. Il est finalement rentré sain et sauf !

Cathy hocha la tête.

– D'accord, rentrons nous aussi, soupira-t-elle. Inutile de continuer. Scout pourrait bien d'ailleurs se trouver hors de portée à l'heure qu'il est !

Et, le cœur lourd, elle tourna les talons pour se diriger vers le Refuge de Rosa.

Cette nuit-là, Claire était à son feu de joie, entourée par ses nouveaux amis. Cathy se tenait près d'elle tandis que le Dr McKay allumait une longue torche de papier journal torsadé et qu'il enflammait le petit bois à la base de la pile. Des étincelles emportées par le vent mirent le feu au reste et les flammes commencèrent à lécher le bois. Le feu craquait et rougeoyait dans les profondeurs du feu de joie. Le tout fut bientôt enflammé.

Cathy respirait l'odeur de la fumée. A présent, les flammes s'élevaient haut dans le ciel, transportant des étincelles qui dansaient en rondes rougeoyantes dans la nuit sombre.

– C'est un beau feu de joie ! dit Cathy à Claire. Et regarde là-bas !

Elle indiquait l'horizon au-dessus de Welford, en direction de la ferme de High Cross et du phare. Il était embrasé tout au long par d'autres feux qui brûlaient, et la colline entière était parsemée de petites taches de lumière. En les voyant, Cathy eut l'impression chaleureuse d'être réunie à ces enfants et à leurs lointains jardins.

Mme Hope arriva pour se joindre à eux comme le feu de Claire commençait à baisser. Elle portait aux McKay un gâteau, spécialité du Yorkshire, fait par sa mère, à base de céréales, de mélasse et de gingembre. Ils se groupèrent autour du feu, le visage embrasé, et se mirent à manger le gâteau qu'ils tenaient dans leurs mains gantées.

– Comment ça s'est passé, ce soir ? demanda Mme Hope à Cathy.

Elle avança ses mains près du feu dans l'espoir de se réchauffer.

– Bien !

Elle faisait de son mieux pour avoir l'air confiante. Sa mère sourit en écoutant l'histoire du bain inattendu de Tiquette.

– Je serais tout de même contente quand cette nuit sera passée ! ajouta Cathy. Je demande seulement à voir Tiquette et Scout rentrer sagement au Refuge après leur première nuit de liberté !

Cathy et Michelle arrivèrent au Refuge de Rosa avant l'aube, ce mercredi matin. Elles étaient les premières. Une odeur âcre de fumée planait dans l'air et quelques restes de cendres témoignaient du feu de joie de la veille. James et Claire devaient encore dormir après cette nuit d'excitation.

– Est-ce qu'il faut les réveiller ? demanda Cathy.

– Non, laisse-les dormir ce matin. Ils le méritent bien ! dit Michelle. Et il nous reste encore quelque chose à terminer.

Michelle tourna en hâte le bouton de son récepteur pour le retour de Tiquette et elles descendirent la route en direction du champ à l'abreuvoir. La lumière était grise et rien ne bougeait aux alentours.

– Nous sommes le mercredi 6 novembre à sept heures et demie du matin, dit Michelle dans son magnétophone. Et nous n'avons toujours aucun signe des deux hérissons relâchés la nuit dernière.

Cathy parcourut le champ du regard. Toutes ses inquiétudes à propos de Tiquette lui revinrent en mémoire. Les minutes s'écoulaient lentement.

Puis Michelle commença à percevoir un faible signal.

– Écoute ! dirent-elles en même temps. Le son augmenta et devint plus fort et elles bondirent dans sa direction à travers l'herbe humide.

« La voilà qui rentre à la maison ! pensa Cathy. Même Tiquette ! »

Mais une autre surprise les attendait.

– Son signal est encore très faible, fit remarquer Michelle et on ne l'entend que de temps à autre, comme si son antenne ne marchait plus correctement !

Elles prêtèrent l'oreille et finirent par percevoir le bruit fureteur d'un hérisson occupé par son petit déjeuner.

– Par ici ! s'écria Cathy.

Elle souleva les branches épineuses d'un buisson de mûres et découvrit Tiquette occupée à farfouiller bruyamment sous le buisson. Mais depuis la nuit dernière, un curieux accident semblait lui être arrivé !

– Qu'est-ce qu'elle a là, au milieu ? murmura Michelle étonnée. On dirait qu'elle porte une ceinture !

Cathy se baissa et ramassa le petit hérisson.

– C'est un anneau en plastique comme celui qui entoure les paquets de boissons gazeuses ! s'exclama-t-elle.

Elles examinèrent le hérisson avec soin.

– Enfin, elle n'est pas blessée ! Elle a dû mettre son nez dans un tas d'ordures et se glisser dans cet anneau sans s'en apercevoir ! Et maintenant, la voilà prise !

– Et son antenne est tordue, dit Michelle. Pas étonnant que nous n'arrivions plus à saisir son signal distinctement !

Elles éclatèrent de rire malgré elles au spectacle comique qu'offrait le petit hérisson.

– Ce hérisson est une calamité ambulante ! déclara Cathy.

Michelle sortit de sa poche un petit canif pour couper l'anneau en plastique et délivrer Tiquette.

– Est-ce que je la relâche à nouveau ? demanda Cathy.

Michelle redressa l'antenne du hérisson et fit un signe affirmatif. Elle appuya sur la touche du magnétophone.

– Il est sept heures quarante-cinq et le plus

petit des hérissons vient de rentrer ! dit-elle. Tiquette, la plus jeune de la portée, est revenue à la maison, portant un objet à la mode sous forme d'une ceinture en plastique, mais très bien portante ! Nous l'observons maintenant qui se dirige vers le Refuge de Rosa. Succès numéro trois pour notre jeune équipe, bien que la nuit ait certainement été fertile en événements !

Cathy sourit en voyant Tiquette se glisser à travers la haie dans le jardin de Claire.

– Trois sur quatre ! lui dit Michelle en la félicitant. Ce n'est pas mal du tout !

Mais Cathy voulait quatre sur quatre.

– Retournons chercher Scout là où nous l'avons vu la dernière fois, dit-elle vivement.

Elle avait vraiment confiance en lui. Scout avait toujours été celui qui, de tous les petits hérissons, pouvait se prendre en charge.

Elles rebroussèrent chemin et traversèrent la route pour pénétrer à nouveau dans le taillis de jeunes chênes. Elles se dirigèrent vers l'endroit où elles avaient entendu le signal de Scout pour la dernière fois et Michelle tourna le bouton de son récepteur, mais aucun son n'en sortit.

– Il est probablement allé plus loin que les trois autres, dit Cathy. Il aime explorer des terres inconnues. C'est un véritable aventurier !

– Oui, dit Michelle, mais nous pourrions attendre longtemps.

Elle fit quelques pas en avant, essayant de tester la solidité du sous-bois du bout de sa botte en caoutchouc.

– Est-ce là que nous avons vu sa lumière verte pour la dernière fois ?

Cathy croyait reconnaître l'endroit. Il y avait un tronc d'arbre abattu et le fût énorme et tordu d'un autre arbre.

– C'est là, juste sur la gauche, je crois.

– Ah ! fit Michelle.

Il y eut un silence.

– Qu'y a-t-il ?

Cathy essaya de ne pas s'affoler. La voix de Michelle lui semblait soudain très sérieuse.

– Un blaireau, dit Michelle. C'est son terrier !

Elle montra l'entrée d'un tunnel dissimulé dans les herbes. Il était assez grand et entouré de traces de pattes, comme si la terre avait été fraîchement remuée et éraflée par endroits.

– Voilà qui pourrait nous fournir l'explication, dit-elle.

Cathy ne voulait pas y croire.

– Un blaireau ne pourrait pas attraper Scout, protesta-t-elle. Il se mettrait en boule et attendrait que le danger soit passé !

Mais Michelle plissa le front d'un air soucieux.

– Les blaireaux ont des griffes très acérées et ils peuvent facilement attraper les hérissons, surtout les plus jeunes, dit-elle.

Cathy repoussa les buissons et les fougères qui fermaient l'entrée du terrier.

– Non, dit-elle. Scout pourrait s'en sortir, j'en suis sûre !

Mais Michelle, qui avait fait quelques mètres, s'arrêta derrière l'énorme chêne, se baissa puis se releva. Elle tenait à la main un bout d'antenne cassée et un petit transmetteur en métal.

– Cathy ! appela-t-elle doucement.

Cathy sentit son sang refluer d'un coup vers sa tête. Elle regarda le transmetteur de Scout.

– Il y a des signes de lutte évidents, dit Michelle. Les feuilles ont été piétinées et un terrible combat a dû avoir lieu ici !

Cathy s'obligea à mettre un pied devant l'autre pour rejoindre Michelle. Elle baissa le regard et vit sur le sol des traces de griffes profondes ainsi qu'une tache de sang sur les feuilles.

Comme Michelle lui entourait les épaules d'un geste affectueux, Cathy éclata en sanglots et donna libre cours à son chagrin.

10

Simon ramena Cathy à l'Arche des Animaux. Mme Hope écouta les nouvelles et hocha la tête.

– Je vais m'occuper d'elle, dit-elle calmement.

Elle entra avec Cathy.

– Pleure si tu en as envie, lui dit sa mère. Il y a un gros paquet de mouchoirs en papier, ne te gêne pas !

Elle lui entoura les épaules d'un geste affectueux.

Cathy avait du mal à parler. Elle aurait simplement voulu que Scout soit toujours vivant. Elle se le rappelait clairement, tandis qu'il pointait son museau sur la pelouse à la recherche de sa première assiette de nourriture. C'était le plus courageux des bébés de Rosa. Scout, l'explorateur. Scout, le hérisson sans peur et sans reproche.

– Je comprends, lui dit Mme Hope. Quand on s'occupe des animaux, il y a des moments pénibles, tu le sais, Cathy. Les animaux tombent malades et meurent eux aussi, n'est-ce pas ? Et nous voudrions tous que cela n'arrive jamais.

Cathy hocha la tête à travers ses larmes.

– Je me rappelle quand le chat de James, Benji, est mort, dit-elle.

– Et quand les animaux vivent à l'état sauvage, c'est encore plus dangereux. Ils ne survivent pas tous. Ils ont des ennemis dans la nature et toutes sortes d'accidents peuvent survenir !

Peu à peu, les pleurs de Cathy s'apaisèrent.

– Je sais bien, dit-elle.

– Je comprends ce que tu ressens, dit Mme Hope. Rien de ce que je peux te dire ne t'aidera à oublier le petit Scout. Seul le temps pourra le faire.

Elle attira la tête de Cathy sur son épaule.

– Alors, qu'est-ce que tu veux faire ? As-tu envie de retourner à l'école ?

Cathy renifla et se redressa en essayant de se ressaisir. Elle se rappelait James, à l'école, le jour où Benji était mort. Il était resté calme et silencieux, mais il était venu.

– Oui, je veux y aller, dit-elle.

– Eh bien, je vais t'emmener en voiture, dit-elle. C'est un peu tard pour que tu y ailles à bicyclette.

Elle embrassa Cathy une dernière fois.

– L'émission de *La Vie sauvage*, c'est bien ce soir, n'est-ce pas ?

– Oui. Michelle doit passer la journée à revoir la cassette. Elle doit la tenir prête pour l'émission.

– C'est formidable ! dit sa mère en souriant. Je suis fière de toi, Cathy Hope !

Avant que le programme soit terminé, Cathy et l'équipe de l'Opération hérisson avaient une dernière tâche à remplir. Il fallait libérer un dernier hérisson. Ce soir, au crépuscule, ce serait le tour de Rosa !

Simon la sortit de son nid en bois. Il demanda à Cathy de diriger la torche sur sa patte cassée tandis qu'il défaisait le bandage du plâtre. Tous le regardaient. La patte fut bientôt libérée. Simon la pressa doucement du bout des doigts, puis tendit la maman hérisson à Cathy.

– Touche-la, dit-il. Elle me semble guérie.

Cathy palpa la patte à son tour. Elle tenait Rosa dans la paume de sa main gantée et caressait la petite patte de haut en bas avec l'index de sa main droite. Pas de renflement, pas de bosses, l'os était lisse.

– Elle est comme neuve ! s'exclama-t-elle.

Rosa clignait les yeux d'un air joyeux et flairait le gant de cuir.

– C'est aussi mon avis ! fit Simon.

Cathy prit une grande respiration.

– Alors, nous sommes prêts ! dit-elle.

Elle déposa Rosa sur la pelouse. Comme elle se reculait, elle sentit Claire la rejoindre et lui prit tranquillement la main.

Rosa se retrouva sur l'herbe humide. Elle remua son museau, fit une course brève sur la pelouse, s'arrêta, obliqua de côté et fit quelques tours, comme pour s'entraîner.

– Elle n'a plus de problème avec sa patte, dit James en riant.

Ils se mirent tous à suivre Rosa qui se dirigeait joyeusement vers le portail en flairant son chemin et qui semblait retrouver avec bonheur une vieille piste familière. Elle se glissa précipitamment sous le portail et commença à descendre sur le bord de la route, en passant devant l'écriteau « Attention, Hérissons ! », vers la porte du jardin de James. Soudain, elle opéra un brusque tournant vers la gauche.

– Ah non, pas encore ! s'écria Cathy.

Rosa se dirigeait droit vers l'entrée de la maison de James.

– C'est là où tout a commencé ! dit James en riant. Mais cette fois, il n'y a pas de danger : Blackie est bien enfermé à l'arrière de la maison.

Incrédules, ils regardèrent Rosa flairer son chemin sur les marches de l'entrée.

– Oh non, dit Cathy, voilà ton père !

M. Hunter venait d'ouvrir la porte pour connaître la cause de tout ce raffut. Et on entendait Blackie gratter furieusement derrière la porte de la cuisine.

– Attention, Papa ! hurla James.

M. Hunter s'arrêta, les jambes écartées, en position d'équilibre. Il était en chaussettes. Tous les enfants se mirent à crier en voyant Rosa lui glisser entre les jambes et se diriger droit vers le vestibule.

– Ne bougez pas ! lui cria Cathy.

M. Hunter s'arrêta, interdit.

Rosa flaira le paillasson et repassa en zigzaguant entre ses jambes.

– La voilà qui revient ! s'écria Cathy, soulagée.

Rosa venait, en effet, de descendre l'escalier, moitié sautant, moitié roulant pour reprendre son chemin.

Dieu merci ! Ils poussèrent tous un soupir de soulagement. M. Hunter restait sur le seuil en secouant la tête d'un air ahuri.

Deux voitures descendaient la petite route, leurs phares découvrant peu à peu les haies et les murs, tandis que Rosa poursuivait son chemin nonchalant, cahin-caha, entre les plates-bandes et les bancs du jardin de James. Les deux voitures ralentirent en arrivant en vue de l'écriteau « Attention, hérissons ! » et se mirent à rouler plus prudemment.

Rosa continuait son chemin dans une royale indifférence. Toutefois, elle ne se risqua pas à nouveau sur la route, mais préféra l'herbe des côtés, passa sous l'écriteau de James et de Claire, puis se dirigea à nouveau vers Le Refuge. Cathy et son équipe remontèrent l'allée des Hunter et sortirent sur la route pour retrouver sa trace. Rosa flairait son chemin, se dirigeant vers l'une des haltes-repas à la recherche de son dîner.

Ils attendirent de l'entendre grogner et mastiquer.

– Regardez là-bas ! dit Claire. On dirait Tiquette !

Elle leur indiquait une étrange lumière qui brillait sous l'abri du jardin.

– C'est bien elle, dit Cathy.

Elle avait reconnu la démarche chancelante du petit animal. Tiquette s'avançait rapidement vers Rosa qui terminait son dîner. Mère et fille se saluèrent du museau par des sons nasillards pour exprimer leur joie de se retrouver.

– Je pense qu'elle peut se débrouiller sans ça, maintenant ! dit Simon.

Il s'avança et se pencha vers Tiquette, puis lui enleva d'un geste prompt le transmetteur lumineux et l'antenne.

Il sourit à Cathy.

Quelques secondes plus tard, deux autres lumières émergèrent de l'ombre. Crampon et Rapidos arrivaient à leur tour pour saluer leur mère. Quand Simon eut soigneusement retiré à chacun son émetteur-radio, toute la famille se laissa aller aux joies des retrouvailles. Rosa tourna autour de ses trois petits. Elle flaira du museau chacun d'entre eux avant d'en faire le tour à nouveau. Puis, elle se retira au bout de la pelouse et resta là, à les observer partir pour leurs aventures nocturnes ; d'abord Rapidos, puis Crampon, et enfin Tiquette.

Le vieux Gavroche poussa un grognement depuis la haie où il se trouvait comme pour appeler Rapidos, et tous deux traversèrent la route côte à côte, à leur habitude. Tiquette partit en chancelant de la pelouse vers le chemin, puis disparut sous une autre haie. Un ou deux grognements satisfaits leur apprirent qu'elle faisait un festin de limaces ! Crampon, de son côté, prit la tangente derrière l'abri et se dirigea vers un nouveau coin sombre à explorer. Bientôt les trois petits hérissons avaient disparu.

Cathy soupira. Elle regarda Rosa tourner autour d'un arbre et commencer à fouiller le sol du museau. Elle ramassait les feuilles mortes qui s'accrochaient à ses piquants hérissés en farfouillant profondément un tas de feuilles empilées dans un coin du jardin.

– Elle construit son nid ! leur dit Simon d'une voix enthousiaste.

– Où donc ? demanda James. Est-ce que ça veut dire qu'elle a choisi un endroit près d'ici pour hiberner ?

Simon fit un signe affirmatif, puis il leur dit de bien observer le hérisson femelle.

– Elle se prépare pour une longue période d'hibernation ! Et j'aimerais bien être à sa place ! ajouta-t-il en regardant sa montre.

Cathy sourit. Si Rosa se préparait à hiberner au Refuge de Rosa, ce serait un triomphe de plus pour eux ! En effet, elle réapparut bientôt, en marche vers la pelouse, portant sur son dos épineux toute une collection d'herbes et de feuilles mortes.

– Elle ressemble à un compost ambulant ! murmura James.

– Elle se dirige vers son propre nid en bois ! dit Claire. Je crois qu'elle projette de passer l'hiver dans ton nid, James !

Rosa s'affairait, en effet, sur le chemin du nid en bois sous le hêtre du jardin, transportant avec elle sa literie d'hiver. Elle disparut dans le tunnel et ils ne la virent plus ressortir. Ils l'attendirent en vain. Seul le craquement de l'enseigne Le Refuge de Rosa, qui se balançait dans la nuit glacée, rompait le silence.

Les bébés de Rosa étaient tous partis pour se livrer à leurs multiples occupations nocturnes – manger, construire leur nid, hiberner. Seule Rosa avait choisi de prendre ses quartiers d'hiver au Refuge. Enfin, Cathy, James, Claire et Simon décidèrent qu'il était temps de rentrer.

Ils se réfugièrent dans la cuisine de Claire où l'on avait allumé la radio. Le Dr McKay essayait d'attraper la bonne situation.

– Votre émission pourrait passer à tout moment maintenant, leur dit-il. Êtes-vous sûrs que vous êtes prêts pour cet instant de gloire ?

Cathy lui fit un sourire embarrassé et alla

s'asseoir près de la fenêtre, dans un coin à l'écart. Elle essayait de garder un œil sur les allées et venues du Refuge de Rosa. Mais la réflexion de la lumière crue de la cuisine contre le ciel noir transformait la fenêtre en miroir et tout ce qu'elle put voir, c'était son propre reflet, ses cheveux blonds humides, mouillés par la bruine et ses grands yeux noirs. Elle finit donc par y renoncer et se tourna vers Claire et James. On entendait la musique de La Vie sauvage : l'émission commençait.

Soudain, la voix de Michelle qui introduisait l'émission, leur parvint sur les ondes. Ils s'assirent ensemble en échangeant des sourires.

– Nous la connaissons, dit Claire avec fierté. C'est une amie et elle parle à la radio !

Cathy fut d'accord avec elle. C'était vraiment une sensation étrange d'entendre à la radio quelqu'un que l'on connaissait bien !

– Chut ! fit Mme McKay.

Mais, en réalité, elle-même semblait aussi excitée que le reste des auditeurs.

Ils entendirent Michelle exposer les raisons à l'origine du Refuge de Rosa. Puis ce fut la voix de Cathy elle-même – celle-ci ne se reconnut pas et s'écria :

– Ce n'est pas moi !

Elle se sentit rougir.

– Mais si, c'est toi ! Chut ! firent les autres.

– Cette semaine a vu le plus grand succès qui soit pour l'équipe de Welford, poursuivit Michelle. Lundi et mardi, nos amis ont réussi à relâcher les hérissons dans la nature !

Assis devant le poste de radio, les jeunes sauveteurs l'écoutèrent raconter les aventures de Crampon et de Rapidos, leur remise en liberté et leur retour au Refuge sains et saufs. Puis, ils écoutèrent le récit de leur seconde nuit : le retour à la liberté de Tiquette et de Scout. Michelle raconta comment Tiquette avait survécu alors que son frère, lui, n'avait pas eu la même chance.

– Quand il n'est pas revenu au Refuge de Rosa, ce matin-là, Cathy et moi sommes retournées à l'endroit où nous l'avions vu pour la dernière fois. Et nous avons trouvé des signes évidents de lutte, d'une lutte fatale avec un blaireau, termina Michelle.

Des larmes embuaient les yeux de tous les auditeurs.

Mais Michelle poursuivait son reportage.

– La mort de Scout n'a en rien diminué le succès du généreux projet de nos amis, dit-elle d'une voix ferme. Le Refuge de Rosa reste une expérience modèle pour ceux qui cherchent à contribuer au retour à la nature et à la vie sauvage et il a été mené à bien par un groupe de véritables amis des animaux. Nous pensons qu'il s'agit là d'un des meilleurs exemples à ce jour d'un programme pour sauver des hérissons et les aider à se réhabiliter dans leur milieu naturel !

Elle fit une pause avant de conclure.

– Ici, à *La Vie sauvage*, nous souhaitons longue vie au Refuge de Rosa. Qu'il continue à aider les hérissons blessés ou sous-alimentés à retrouver leurs forces et leur capacité à survivre en milieu naturel.

Cathy se tourna fièrement vers ses amis.

– Eh bien, dit-elle à Claire, qu'en penses-tu ?

Claire hésita un moment avant de répondre.

– Gavroche est revenu ! Et Rosa aussi ! dit-elle. Et tous les hérissons qui ont besoin d'une maison seront bienvenus dans mon jardin et je m'en occuperai aussi longtemps qu'ils le voudront !

Cathy jeta un regard interrogateur du côté de M. et Mme McKay.

– Bien entendu ! confirma le docteur. Je crois que Le Refuge de Rosa va faire des affaires !

Cathy, au comble de sa joie, regarda James.

– Eh bien alors, dit-elle en écho, souhaitons tous longue vie au Refuge de Rosa !

S.O.S. ANIMAUX

PARTAGE TA PASSION DES ANIMAUX
AVEC CATHY ET SON AMI JAMES

Qui veut adopter un chaton?
n°1

Lorsqu'il découvre que la chatte de l'école a choisi sa maison pour mettre au monde ses petits, le vieux gardien est furieux. Si Cathy et James ne leur trouvent pas de maîtres dans une semaine, ce sera la fin des chatons !

Un poney en danger
n°2

Aux yeux de Cathy, Susan Collins est une peste qui n'a qu'une seule qualité : son poney, Prince. Cathy a pris le bel animal en affection et s'aperçoit avec inquiétude que Susan est prête à mettre en péril la santé de son poney pour gagner un concours hippique...

Le labrador fait du cinéma
n°3

Un film va être tourné au village ! Un film dont les principaux acteurs sont... des animaux. Cathy propose au metteur en scène de prendre soin d'eux. C'est alors que disparaît Perle, le labrador, la star du film. Cathy et James doivent la retrouver à tout prix...

Les mésaventures du petit mouton
n°4

Cathy et son ami James découvrent sur la lande un tout petit agneau noir que sa mère a abandonné. Ils le réchauffent, le nourrissent, l'adoptent mais au bout de quelques jours... l'agneau disparaît. Les deux enfants le retrouveront-ils avant qu'il ne soit trop tard ?

Deux lapins pas comme les autres
n°5

Cathy a un nouvel ami. Réservé, taciturne, il n'a qu'une idée en tête depuis le début des vacances : son exposé sur les lapins. Il passe ses journées sur la lande à les dessiner. Lorsqu'il découvre les deux lapereaux de la boutique d'animaux du village, il décide qu'ils seront à lui. Son père sera-t-il du même avis ?

Le hamster de l'école
n°6

Les grandes vacances sont arrivées. Et, quelle chance, c'est à James, le meilleur ami de Cathy, qu'a été confié la mascotte de l'école, un hamster nommé Henry VIII. Henry mange trop de noix et de croûtons et James décide de le mettre au régime ! Quelques jours plus tard, le hamster disparaît... il a été kidnappé ! Pourquoi ? Qui est le coupable ? James, aidé par Cathy et son fidèle labrador Blackie, se mettent à sa recherche.

Opération Koala!
n°7

Cathy est folle de joie : ses parents ont accepté de diriger un cabinet vétérinaire en plein milieu de l'Australie. Mais la construction d'une route menace la forêt qui borde une réserve naturelle. La vie des koalas, qui se nourrissent exclusivement de feuilles de jarrah, un arbre très rare, est mise en péril. Cathy et ses nouveaux amis n'ont que trois jours pour sauver la petite colonie...

Sauvons Rubis, le petit cochon!
n°8

Rubis, le dernier cochon de la portée, est vraiment trop petit et le fermier veut s'en débarrasser. Son fils Martin a décidé de l'élever en cachette, sans se douter que les ennuis ne faisaient que commencer. Heureusement, ses amis Cathy et James sont là pour l'aider !

Le renard pris au piège
n°9

Cathy délivre une renarde prise au piège, dans la forêt. Elle découvre, aux côtés de l'animal blessé, un renardeau encore en vie. Qui a bien pu placer des pièges aussi cruels ? Cathy et son ami James sont bien décidés à déclarer la guerre aux chasseurs. Mais avant tout, il faut prendre soin du bébé renard.

Le lionceau abandonné
n°10

Cathy passe des vacances en Afrique avec ses parents et son ami James. Lorsqu'elle apprend qu'un lionceau séparé de sa mère s'est perdu dans les montagnes, elle n'a qu'un but, le retrouver. Surtout que des grands félins ont été tués par des éleveurs, dans la région.

Aidés de Simba le jeune Masaï ami des lions (Simba veut dire lion en swahili), les deux amis réussiront-ils à le sauver et à le ramener auprès des siens ?

Sur les traces du bébé éléphant
n°11

Durant son séjour en Afrique, Cathy apprend que des braconniers ont abattu une maman éléphant. Son bébé s'est enfui, terrifié. Cathy, aidée de son ami James, va tout faire pour le retrouver. Mais il faut agir vite car l'éléphanteau est sans défense face aux bêtes sauvages…

Le Noël du chien de berger
n°12

Noël approche ! Cathy et son ami James organisent une fête qui réunira tous les animaux de leur village. Mais les préparatifs sont interrompus lorsqu'ils découvrent une chienne de berger blessée et abandonnée. Il faut la soigner ! La fête pourra-t-elle avoir lieu à temps ?

L'âne trouvera-t-il un refuge?
n°13

Le vieil âne, Dorian, va bientôt perdre son joli pré. Steffie et sa famille doivent déménager et ils n'auront plus la place de le garder. Aussitôt informée, Cathy lui cherche un refuge. Mais le jour du déménagement, Steffie et Dorian disparaissent.

Au secours des deux poulains
n°14

La jument du fermier Nick vient de mettre bas deux poulains. Ils sont prématurés et ont besoin de soins attentifs pour survivre. Mais Nick travaille sans répit pour éviter que la ferme familiale ne soit vendue, et n'a pas de temps à leur consacrer. Cathy se propose de l'aider. C'est alors qu'une tempête vient ravager les écuries...

Malin comme un singe
n°15

Dans la petite île africaine où ils passent leurs vacances, Cathy et James découvrent un bébé singe malade, abandonné par les siens dans la forêt. A force de soins attentifs, ils parviennent à le remettre sur pied. Mais le petit animal sera-t-il condamné à passer sa vie en captivité dans un zoo ?

Pauvre petit faon
n°16

Feu-follet, le petit faon, a perdu sa mère, renversée par une voiture. Cathy et James le découvrent dans la forêt et le recueillent. Mais Feu-follet refuse de s'alimenter et, s'il ne boit pas de lait bientôt, il risque de mourir. Heureusement, à l'Arche des Animaux, on ne manque ni d'idées ni d'énergie pour aider un faon orphelin à se remettre sur pattes au plus vite !

La famille écureuil
n°17

L'école de Cathy et James est en effervescence : la pièce de théâtre doit se jouer dans quelques jours. Mais une famille d'écureuils vient perturber les préparatifs. Les adultes veulent s'en débarrasser avant qu'ils ne fassent plus de dégâts. Le directeur compte mettre du poison ! Cathy et James trouveront-ils à temps un nouvel abri pour les petits rongeurs ?

Voyage avec les ours
n°18

Lors d'un séjour en Arkansas, Cathy et son ami James deviennent les assistants d'un jeune scientifique chargé du retour des ours dans leur terre d'origine. Ils doivent suivre à la trace la belle Ida et ses deux oursons. Mais la route est longue et parsemée de dangers : les autoroutes, les rivières, les fermiers hostiles...